Grammar mentor joy 1

Grammar mentor joy 1

지은이 교재개발연구소

발행처 Pearson Education

판매처 inkedu(inkbooks)

전 화 (02) 455-9620(주문 및 고객지원)

팩 스 (02) 455-9619

등 록 제13-579호

Grammar mentor joy 1

선택이 중요합니다!

인생에 수많은 선택이 있듯이 많은 시간 함께할 영어 공부의 시작에도 수많은 선택이 있습니다. 오늘 여러분의 선택이 앞으로의 여러분의 영어실력을 좌우합니다. Grammar Mentor Joy 시리즈는 현장 경험이 풍부한 선생님들과 이전 학습자들의 의견을 충분히 수렴하여 여러분의 선택에 후회가 없도록 하였습니다.

효율적인 학습이 필요한 때입니다!

학습의 시간은 유한합니다. 중요한 것은 그 시간을 얼마나 효율적으로 사용하는 지입니다. Grammar Mentor Joy 시리즈는 우선 튼튼한 기초를 다지기 위해서 단계별 Syllabus를 현행 교과과정과 연계할 수 있도록 맞춤 설계하여 학습자들이 효율적으로 학습할 수 있도록 하였습니다. 또한 기존의 기계적 반복 학습 문제에서 벗어나 학습자들이 능동적 학습을 유도할 수 있도록 사고력 향상이 필요한 문제와 난이도를 조정하였습니다.

중학 기초 문법을 대비하는 교재입니다!

Grammar Mentor Joy 시리즈는 확고한 목표를 가지고 있습니다. 그것은 중학교 문법을 완벽하게 준비하는 것입니다. Grammar Mentor Joy 시리즈에서는 문법 기초를 확고하게 다루고 있기 때문에 중학교 문법은 새로운 것이 아닌 Grammar Mentor Joy 시리즈의 연장선에 지나지 않습니다. 또한 가장 힘들 수 있는 어휘 학습에 있어서도 반복적인 문제 풀이를 통해서 자연스럽게 기초 어휘를 학습하도록 하였습니다.

마지막으로 어떤 기초 교재보다도 처음 영어 문법을 시작하는 학습자들에게 더없이 완벽한 선택이 될 수 있다고 자신합니다. 이 교재를 통해서 영어가 학습자들의 평생 걸림돌이 아닌 자신감이 될 수 있기를 바랍니다. 감사합니다.

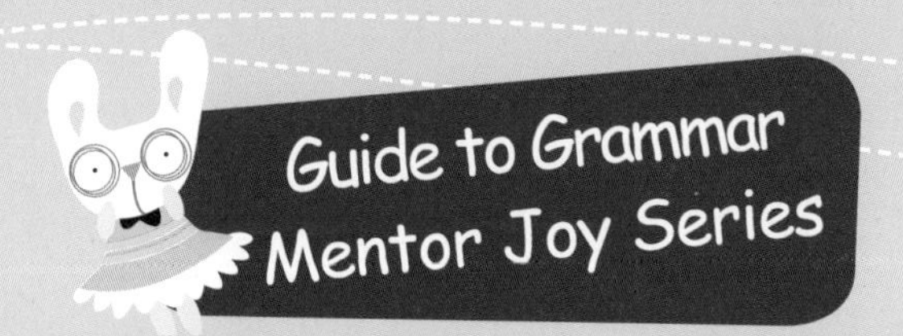

❶ 단계별 학습을 통한 맞춤식 문법 학습

– 각 Chapter별 2개의 Unit에서 세부 설명과 Warm-up, First Step, Second Step, Third Step, Writing Step과 Exercise, Review Test, Achievement Test, 마지막으로 실전모의테스트로 구성되어 있습니다.

❷ 서술형 문제를 위한 체계적인 학습

– 특히 Writing Step에서는 서술형 문제에 대비할 수 있도록 하고 있습니다.

❸ 단순 암기식 공부가 아닌 사고력이 필요한 문제 풀이 학습

– 단순 패턴 드릴 문제가 아닌 이전 문제들을 함께 섞어 제시하고 있어 사고력 향상에 도움이 되도록 하였습니다.

❹ 반복적인 학습을 통해 문제 풀이 능력을 향상시킴

– 세분화된 Step으로 반복 학습이 가능합니다.

❺ 맞춤식 어휘와 문장을 통한 체계적인 학습

– 학습한 어휘와 문장을 반복적으로 제시하고 있어 무의식적으로 습득이 가능합니다.

❻ 중학 기초 문법을 대비하는 문법 학습

– 중학 문법에서 다루는 기초 문법 대부분을 다루고 있습니다.

❼ 반복적인 문제풀이를 통한 기초 어휘 학습

– Chapter별 제공되는 단어장에는 자주 쓰는 어휘들을 체계적으로 제시하고 있습니다.

Grammar Mentor Joy 시리즈는 전체 4권으로 구성되어 있습니다. 각 Level이 각각 8개의 Chapter 총 6주의 학습 시간으로 구성되어 있는데, 특히 Chapter 4와 Chapter 8은 Review와 Achievement Test로 반복 복습할 수 있도록 구성되어 있습니다. 부가적으로 단어장과 전 시리즈가 끝난 후 실전 모의고사 테스트 3회도 제공되고 있습니다.

Level	Month	Week	Chapter	Unit	Homework
1	1st	1	1 단어의 역할	01 명사, 대명사, 동사, 형용사	*각 Chapter별 단어 퀴즈 제공 *각 Chapter별 드릴 문제 제공 *각 Chapter별 모의 테스트지 제공
				02 부사, 전치사, 접속사, 감탄사	
			2 명사 I	01 셀 수 있는 명사의 특징과 규칙 변화	
		2		02 명사의 변화	
			3 명사 II	01 셀 수 없는 명사와 특징	
				02 셀 수 없는 명사 표현 방법	
		3	4 관사	01 부정관사	
				02 정관사	
		4	5 대명사 I	01 인칭대명사	
				02 지시대명사와 지시형용사	
			6 대명사 II	01 대명사의 격변화와 역할	
	2nd	5		02 대명사와 명사의 격변화	
			7 be동사 I	01 be동사의 쓰임 I	
				02 be동사의 쓰임 II	
		6	8 be동사 II	01 be동사의 부정문	
				02 be동사의 의문문	
2		1	1 일반동사 I	01 일반동사의 쓰임	*각 Chapter별 단어 퀴즈 제공 *각 Chapter별 드릴 문제 제공 *각 Chapter별 모의 테스트지 제공
				02 일반동사의 3인칭 단수	
			2 일반동사 II	01 일반동사의 부정문	
		2		02 일반동사의 의문문	
			3 현재진행형	01 현재진행형 만들기	
				02 현재진행형의 부정문과 의문문	
	3rd	3	4 형용사	01 형용사의 종류 및 역할	
				02 반대의 뜻을 가진 형용사와 역할	
		4	5 기수 · 서수	01 기수와 서수	
				02 수읽기	
			6 부사	01 부사의 종류와 위치	
		5		02 부사의 형태와 역할	
			7 전치사	01 시간, 장소 전치사	
				02 위치를 나타내는 전치사	
		6	8 수량을 나타내는 표현	01 some, any와 many, much	
				02 a lot of/lots of, a few/few와 a little/little	

Level	Month	Week	Chapter	Unit	Homework
3	4th	1	1 be동사 과거	01 be동사 과거 I	*각 Chapter별 단어 퀴즈 제공 *각 Chapter별 드릴 문제 제공 *각 Chapter별 모의테스트지 제공
				02 be동사 과거 II	
			2 일반동사 과거	01 일반동사 과거형	
		2		02 일반동사 과거형의 부정문과 의문문	
			3 과거진행형과 비인칭주어 It	01 과거진행형	
				02 비인칭주어 It	
		3	4 조동사 I	01 can, may	
				02 can, be able to, may의 부정문과 의문문	
		4	5 조동사 II	01 must, have to, had better	
				02 must, have to, had better의 부정문	
			6 의문사 I	01 Who, What, Which	
	5th	5		02 Who, Whose, What, Which	
			7 의문사 II	01 When, Where, Why	
				02 How	
		6	8 접속사	01 and, or, but	
				02 before, after, so because	
4		1	1 미래시제	01 will	*각 Chapter별 단어 퀴즈 제공 *각 Chapter별 드릴 문제 제공 *각 Chapter별 모의테스트지 제공 *최종 3회의 실전모의고사 테스트지 제공
				02 be going to	
			2 의문사와 미래시제	01 의문사와 will	
		2		02 의문사와 be going to	
			3 의문사와 can, will	01 how와 can, will	
				02 의문사와 be going to, can	
	6th	3	4 비교급과 최상급	01 비교급	
				02 최상급	
		4	5 명령문과 감탄문	01 명령문	
				02 감탄문	
			6 부가의문문	01 부가의문문 – 앞 문장이 긍정문일 때	
		5		02 부가의문문 – 앞 문장이 부정문일 때	
			7 주요 동사의 쓰임 I	01 동사+명사	
				02 동사+형용사 / 동사+to동사원형	
		6	8 주요 동사의 쓰임 II	01 동사+명사+명사	
				02 동사+to동사원형	

Construction

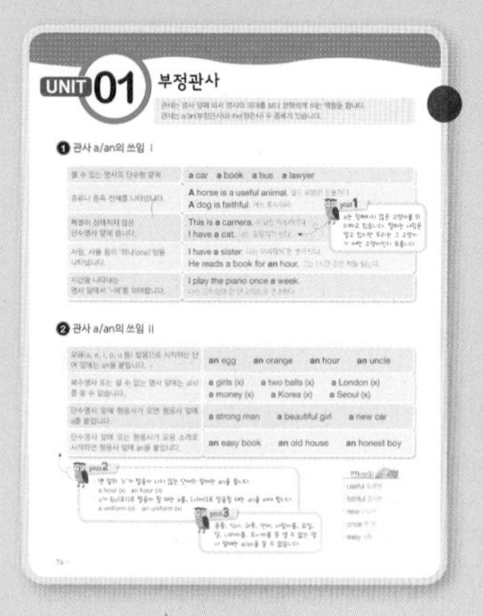
UNIT 01 부정관사

❶ 관사 a/an의 쓰임 I

	a car a book a bus a lawyer
	A horse is a useful animal. A dog is faithful.
	This is a camera. I have a cat.
	I have a sister. He reads a book for an hour.
	I play the piano once a week.

❷ 관사 a/an의 쓰임 II

	an egg	an orange	an hour	an uncle
	a girls (x) a money (x)	a two balls (x) a Korea (x)	a London (x) a Seoul (x)	
	a strong man	a beautiful girl	a new car	
	an easy book	an old house	an honest boy	

Unit

각 Chapter를 2개의 unit으로 나누어 보다 심층적이고 체계적으로 학습할 수 있도록 했습니다.

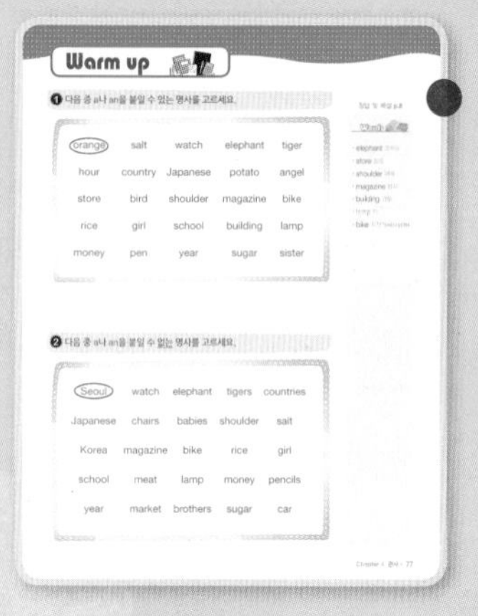
Warm up

❶ 다음 중 a나 an을 붙일 수 있는 명사를 고르세요.

orange	salt	watch	elephant	tiger
hour	country	Japanese	potato	angel
store	bird	shoulder	magazine	bike
rice	girl	school	building	lamp
money	pen	year	sugar	sister

❷ 다음 중 a나 an을 붙일 수 없는 명사를 고르세요.

Seoul	watch	elephant	tigers	countries
Japanese	chairs	babies	shoulder	salt
Korea	magazine	bike	rice	girl
school	meat	lamp	money	pencils
year	market	brothers	sugar	car

Warm-up

본격적인 학습에 앞서 Unit의 기본적인 내용을 점검하는 단계입니다.

First Step

1 an	actor	2	computer
3	chair	4	sugar
5	air	6	twins
7	watch	8	bus
9	Korea	10	two bikes
11	apple	12	table
13	funny story	14	animal doctor
15	dog	16	interesting book
17	yellow bag	18	coffee
19	wife	20	elephant
21	bear	22	tennis
23	five lamps	24	hour
25	mall	26	umbrella
27	small house	28	uncle
29	picture	30	old car

First Step

각 Unit에서 다루고 있는 문법의 기본적인 내용들을 점검할 수 있도록 했습니다.

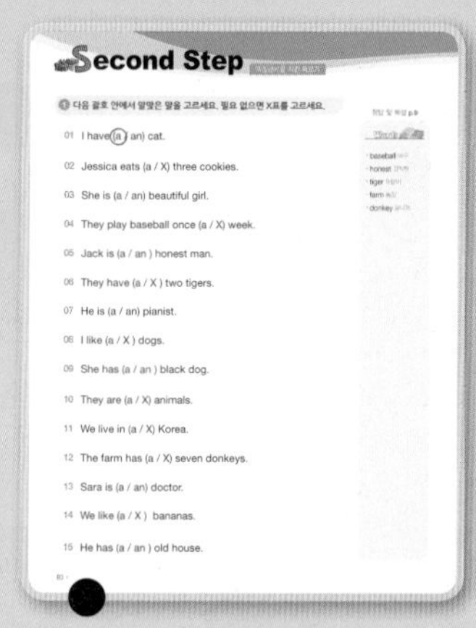
Second Step

❸ 다음 괄호 안에서 알맞은 말을 고르세요. 필요 없으면 X를 고르세요.

01 I have (a / an) cat.
02 Jessica eats (a / X) three cookies.
03 She is (a / an) beautiful girl.
04 They play baseball once (a / X) week.
05 Jack is (a / an) honest man.
06 They have (a / X) two tigers.
07 He is (a / an) pianist.
08 I like (a / X) dogs.
09 She has (a / an) black dog.
10 They are (a / X) animals.
11 We live in (a / X) Korea.
12 The farm has (a / X) seven donkeys.
13 Sara is (a / an) doctor.
14 We like (a / X) bananas.
15 He has (a / an) old house.

Second Step

First Step보다 한 단계 높은 수준의 내용을 이해하면서 문제를 해결하도록 구성했습니다.

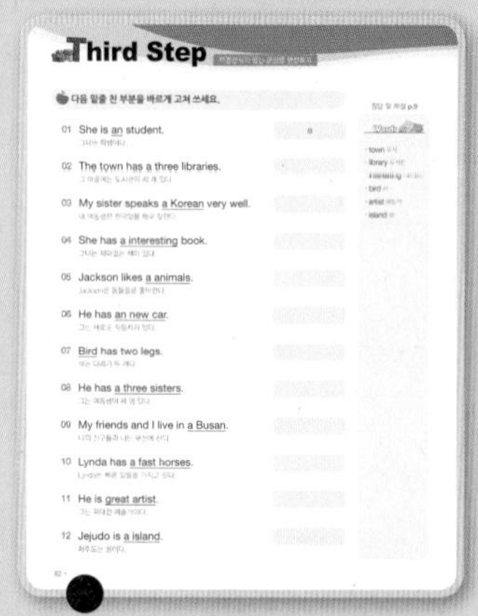
Third Step

다음 밑줄 친 부분을 바르게 고쳐 쓰세요.

01 She is an student.
02 The town has a three libraries.
03 My sister speaks a Korean very well.
04 She has a interesting book.
05 Jackson likes a animals.
06 He has an new car.
07 Bird has two legs.
08 He has a three sisters.
09 My friends and I live in a Busan.
10 Lynda has a fast horses.
11 He is great artist.
12 Jejudo is a island.

Third Step

난이도 있는 문제를 풀면서 여러분이 각 Unit의 내용을 얼마나 이해했는지 점검하도록 했습니다.

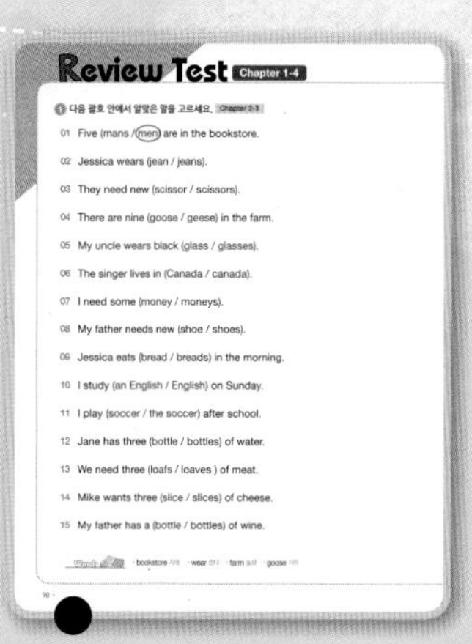

Review Test Chapter 1-4

다음 괄호 안에서 알맞은 말을 고르세요.

01 Five (mans / men) are in the bookstore.
02 Jessica wears (jean / jeans).
03 They need new (scissor / scissors).
04 There are nine (goose / geese) in the farm.
05 My uncle wears black (glass / glasses).
06 The singer lives in (Canada / canada).
07 I need some (money / moneys).
08 My father needs new (shoe / shoes).
09 Jessica eats (bread / breads) in the morning.
10 I study (an English / English) on Sunday.
11 I play (soccer / the soccer) after school.
12 Jane has three (bottle / bottles) of water.
13 We need three (loafs / loaves) of meat.
14 Mike wants three (slice / slices) of cheese.
15 My father has a (bottle / bottles) of wine.

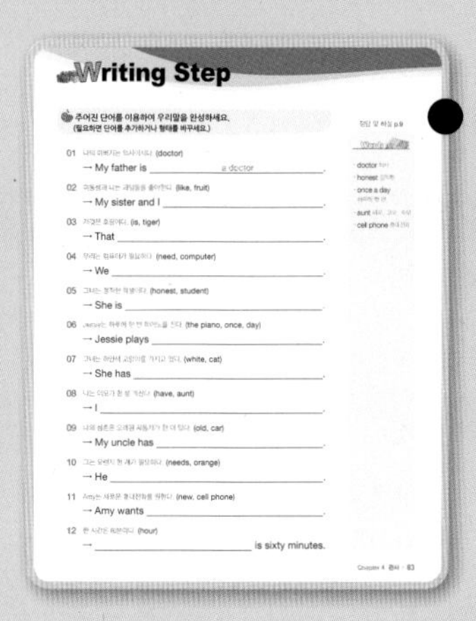

Writing Step

서술형 문제에 대비하는 단계로 단순 단어의 나열이 아닌, 사고력이 요하는 문제들로 구성되어 있습니다.

Review Test

Chapter 4개마다 구성되어 있으며, 앞서 배운 기본적인 내용들을 다시 한 번 풀어 보도록 구성했습니다.

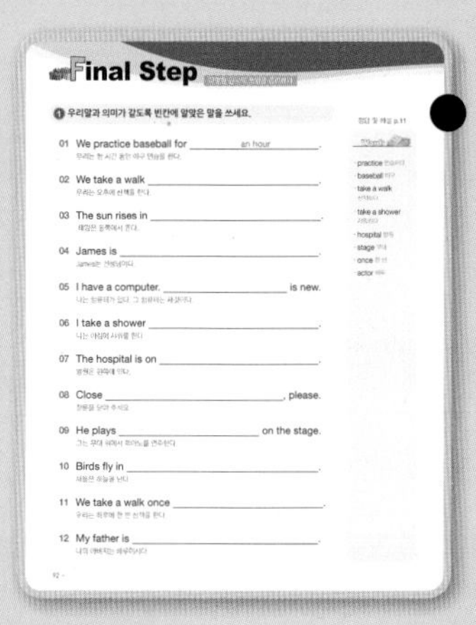

Final Step

각 Chapter의 내용을 최종 점거하는 단계로 두 Unit의 내용들을 기초로 한 문제들로 구성되어 있습니다.

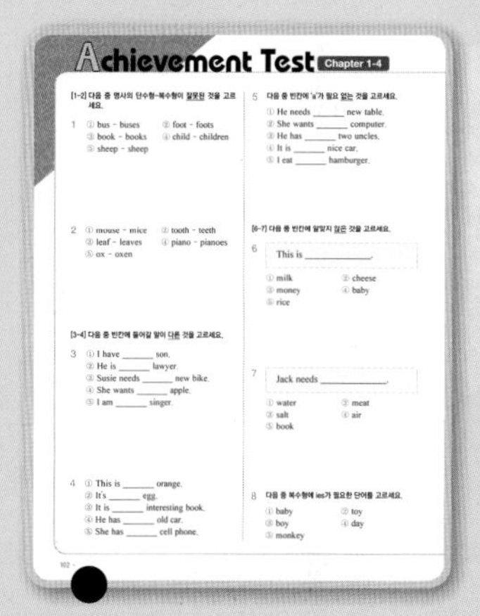

Achievement Test

Chapter 4개마다 구성되어 있으며, 5지선다형 문제와 서술형 문제로 구성되어 있어 실전 내신문제에 대비하도록 했습니다.

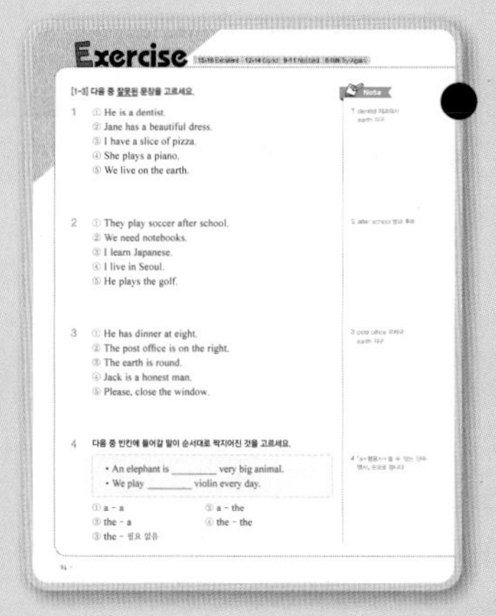

Exercise

각 Chapter의 내용을 통합해 내신 문제 유형을 통해 다시 한 번 정리할 수 있도록 구성되어 있습니다.

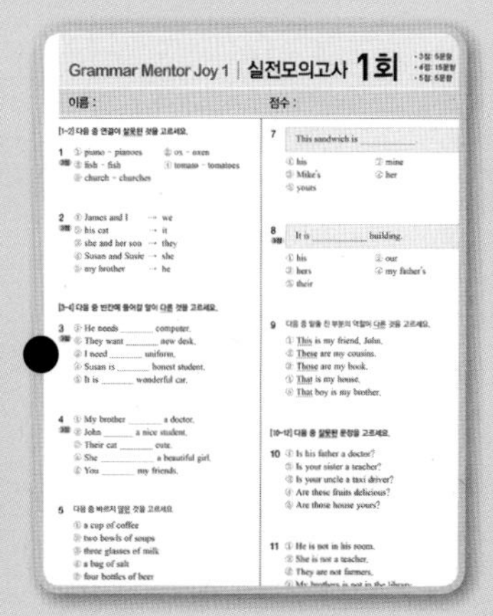

실전모의고사

총 3회로 구성되어있으며 각 level의 모든 내용을 5지선다형 문제와 서술형 문제로 구성하여 여러분들이 최종적으로 학습한 내용을 점검 할 수 있도록 했습니다.

Contents

단어의 역할

Word Check

□ bag	□ begin	□ doctor	□ easily	□ English
□ fast	□ honest	□ hungry	□ Korean	□ moon
□ school	□ singer	□ slowly	□ smart	□ snail
□ strong	□ tall	□ walk	□ watch	□ with

명사, 대명사, 동사, 형용사

영어에는 모두 8가지 역할을 하는 단어들이 있으며 각 역할에 따라 명사, 대명사, 동사, 형용사, 부사, 전치사, 접속사, 감탄사로 구분합니다.

❶ 명사 (noun)

사람, 사물, 동물 등의 이름을 가리키는 단어입니다.

예 Seoul(서울), Michael, Korea(한국), book(책), cat(고양이), water(물) 등

I have a **book.** 나는 책이 한 권 있다.

She is a **student.** 그녀는 학생이다.

I like **Michael.** 나는 Michael을 좋아한다.

❷ 대명사 (pronoun)

명사를 대신해서 사용한다고 해서 '대명사'라고 합니다.

예 this(이것), that(저것), it(그것), I(나), you(너), they(그들), she(그녀), he(그), we(우리) 등

He is a singer. 그는 가수이다.

This is my book. 이것은 나의 책이다.

I am a singer. 나는 가수다.

❸ 동사 (verb)

사람이나 동물 등의 움직임이나 상태를 나타내는 단어입니다.

예 eat(먹다), study(공부하다), read(읽다), run(달리다), like(좋아하다), have(가지다) 등

I **study** English. 나는 영어를 공부한다.

They **like** fruits. 그들은 과일을 좋아한다.

The dog **runs** fast. 그 개는 빨리 달린다.

> **plus**
> 크게 be동사(am, is ,are)와 일반 동사로 구분할 수 있습니다.

❹ 형용사 (adjective)

사람이나 사물의 성질, 성격, 상태 등을 나타내는 단어입니다.

예 beautiful(아름다운), good(좋은), new(새로운), happy(행복한), sad(슬픈) 등

She is a **beautiful** girl. 그녀는 아름다운 소녀이다.

We are **happy.** 우리는 행복하다.

The computer is **new.** 그 컴퓨터는 새것이다.

Warm up

정답 및 해설 p.2

1 다음 단어들 중에서 명사가 아닌 것을 고르세요.

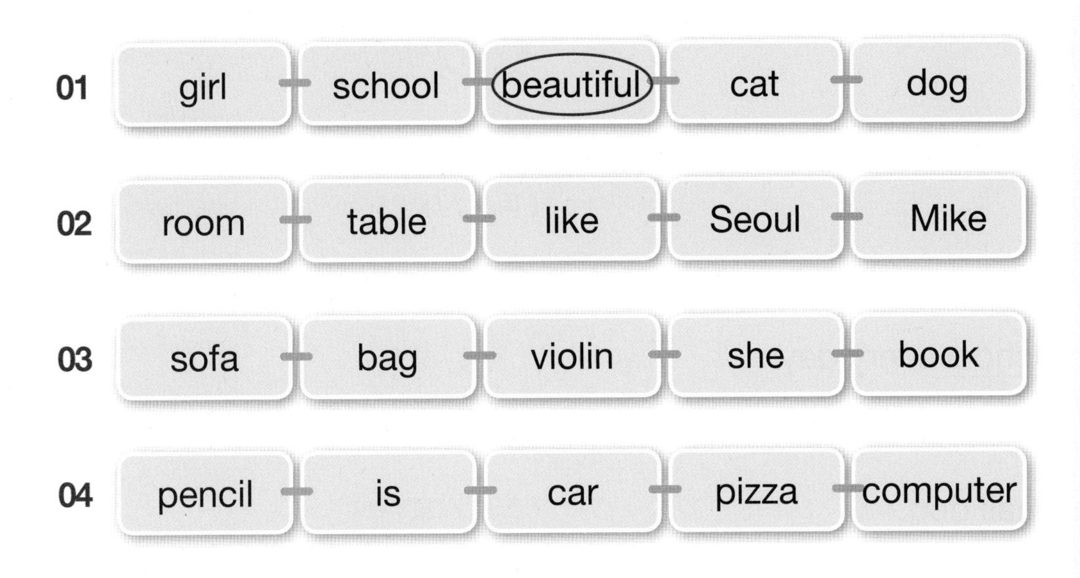

- school 학교
- beautiful 아름다운
- happy 행복한
- handsome 잘생긴

2 다음 단어들 중에서 동사가 아닌 것을 고르세요.

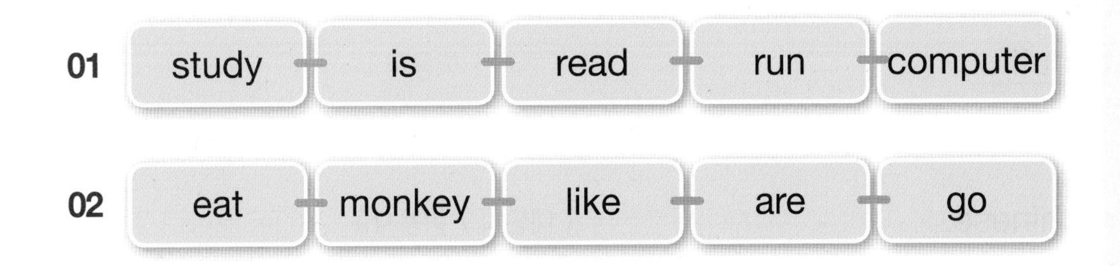

3 다음 단어들 중에서 형용사가 아닌 것을 고르세요.

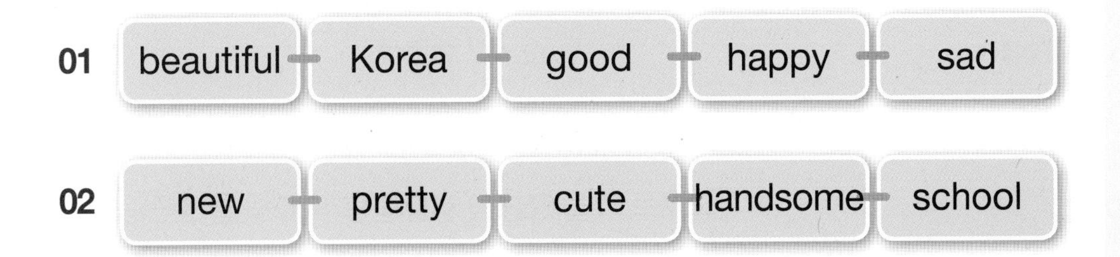

First Step 문장에서 단어의 역할 확인하기

1 다음 문장의 밑줄 친 단어에 해당하는 것을 고르세요.

정답 및 해설 p.2

01 I like English. (동사 / 명사)
나는 영어를 좋아한다.

02 We eat pizza. (동사 / 대명사)
우리는 피자를 먹는다.

03 They go to school every day. (동사 / 명사)
그들은 매일 학교에 간다.

04 She has a small dog. (동사 / 대명사)
그녀는 작은 개를 가지고 있다.

05 Kevin plays the violin. (동사 / 명사)
Kevin은 바이올린을 연주한다.

06 Jennie is beautiful. (동사 / 형용사)
Jennie는 아름답다.

07 They learn Chinese. (대명사 / 형용사)
그들은 중국어를 배운다.

08 I watch TV at night. (동사 / 형용사)
나는 밤에 TV를 본다.

09 We speak Korean. (동사 / 대명사)
우리는 한국어를 한다.

10 I am happy. (동사 / 형용사)
나는 행복하다.

Words

- small 작은
- every day 매일
- learn 배우다
- watch 보다
- at night 밤에
- speak 말하다
- Korean 한국어

2 다음 문장의 밑줄 친 단어에 해당하는 것을 고르세요.

정답 및 해설 p.2

01 We like pizza. (동사 / 명사)
우리는 피자를 좋아한다.

02 They play soccer. (동사 / 대명사)
그들은 축구를 한다.

03 I go to school every day. (동사 / 명사)
나는 매일 학교에 간다.

04 She has a computer. (동사 / 명사)
그녀는 컴퓨터가 있다.

05 Kevin is hungry. (형용사 / 명사)
Kevin은 배가 고프다.

06 Jackson is tall. (형용사 / 명사)
Jackson은 키가 크다.

07 We study English. (동사 / 명사)
우리는 영어를 공부한다.

08 This is a cat. (명사 / 대명사)
이것은 고양이다.

09 That is my bag. (형용사 / 명사)
저것은 나의 가방이다.

10 She is a doctor. (형용사 / 동사)
그녀는 의사이다.

Words

- hungry 배고픈
- Jackson 남자이름
- tall 키가 큰
- study 공부하다
- bag 가방
- doctor 의사

Second Step

1 다음 문장에서 동사를 고르세요.

정답 및 해설 p.2

- baseball 야구
- walk 걷다
- English 영어
- study 공부하다
- fast 빠르게

01 I am very happy.
나는 매우 행복하다.
am

02 They are famous singers.
그들은 유명한 가수이다.

03 We eat pizza.
우리는 피자를 먹는다.

04 She likes baseball.
그녀는 야구를 좋아한다.

05 He is happy.
그는 행복하다.

06 Jackson walks fast.
Jackson은 빠르게 걷는다.

07 We study English.
우리는 영어를 공부한다.

08 My daddy reads a newspaper.
내 아빠는 신문을 읽으신다.

09 I have a dog.
나는 개가 있다.

10 They run fast.
그들은 빠르게 달린다.

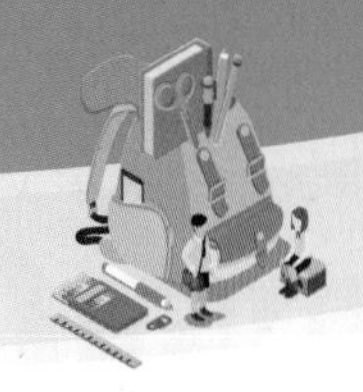

② 다음 문장에서 명사를 고르세요.

정답 및 해설 p.2

01 He reads a book. book
그는 책을 읽는다.

02 She is a teacher.
그녀는 선생님이다.

03 I have a computer.
나는 컴퓨터가 있다.

04 We drink coffee.
우리는 커피를 마신다.

05 Cathy is beautiful.
Cathy는 아름답다.

06 They live in Seoul.
그들은 서울에 산다.

07 I love Michael.
나는 Michael을 사랑한다.

08 She has a cat.
그녀는 고양이가 있다.

09 I need water.
나는 물이 필요하다.

10 He likes soccer.
그는 축구를 좋아한다.

Words

- teacher 선생님
- drink 마시다
- live 살다
- cat 고양이
- water 물
- soccer 축구

부사, 전치사, 접속사, 감탄사

영어에는 모두 8가지 역할을 하는 단어들이 있으며 각 역할에 따라 명사, 대명사, 동사, 형용사, 부사, 전치사, 접속사, 감탄사로 구분합니다.

❶ 부사	동사, 형용사, 그리고 부사를 꾸며주는 단어입니다. 예 very(매우), slowly(느리게), always(항상), easily(쉽게), hard(열심히), fast(빠르게), quickly(빠르게), so(매우), well(잘, 훌륭히) 등 They study **hard.** 그들은 열심히 공부한다. She runs **fast.** 그녀는 빠르게 달린다. Sam walks **slowly.** Sam은 느리게 걷는다.
❷ 전치사	명사 앞에 놓이며 위치, 방향 등을 나타내는 단어입니다. 예 in(~안에), on(~위에), at(~에), after(~후에), before(~전에), under(~아래에), with(~와 함께) 등 An apple is **on** the table. 사과가 식탁 위에 있다. Tom is **in** his room. Tom은 그의 방 안에 있다. I drink coffee **after** dinner. 나는 저녁식사 후 커피를 마신다.
❸ 접속사	단어와 단어, 문장과 문장을 연결하는 역할을 하는 단어입니다. 예 and(그리고), but(그러나), or(또는), because(~때문에) 등 She **and** I are students. 그녀와 나는 학생들이다. I like baseball **but** I don't like soccer. 나는 야구를 좋아한다. 그러나 축구는 좋아하지 않는다.
❹ 감탄사	놀람, 기쁨, 슬픔 등의 감정을 나타낼 때 사용하는 단어입니다. 예 Oh!(오!), Wow!(와우) 등 **Oh**, what a beautiful world! 오, 얼마나 아름다운 세상인가!

plus

after와 before는 전치사로 많이 사용하지만 접속사로 사용하여 문장과 문장을 연결하는 역할을 하기도 합니다.
Turn off the lights **before** you go out.(접속사)
나가기 전에 불을 꺼라.

Warm up

❶ 다음 단어들 중에서 부사를 고르세요.

정답 및 해설 p.2

- slowly 천천히
- always 언제나
- easily 쉽게
- soccer 축구

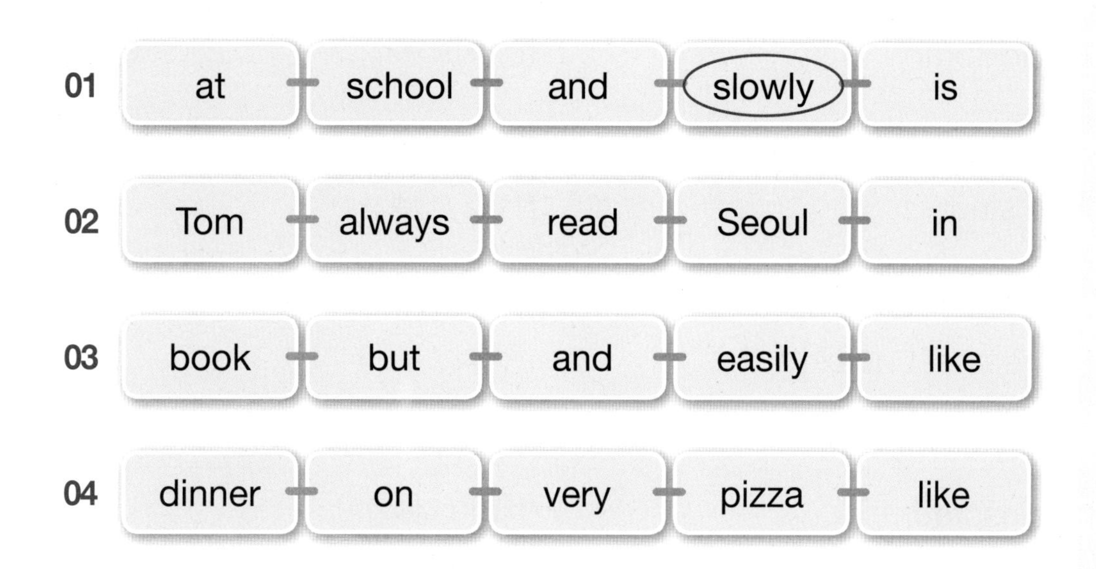

❷ 다음 단어들 중에서 전치사를 고르세요.

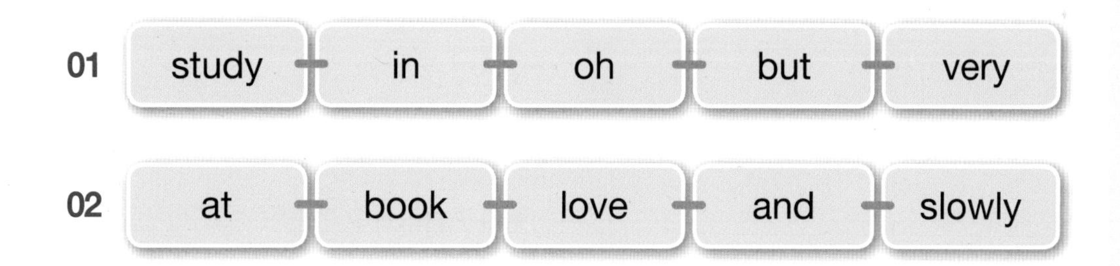

❸ 다음 단어들 중에서 접속사를 고르세요.

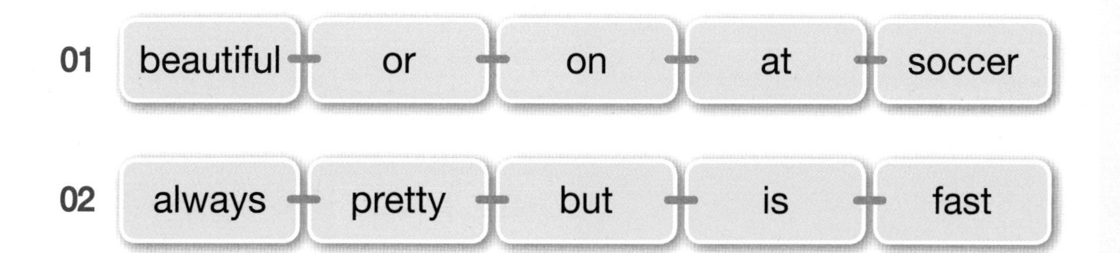

First Step 문장에서 단어의 역할 확인하기

1 다음 문장의 밑줄 친 단어에 해당하는 것을 고르세요.

정답 및 해설 p.2

01 They are <u>in</u> the library. (전치사 / 부사)
그들은 도서관에 있다.

02 She <u>and</u> I are singers. (전치사 / 접속사)
그녀와 나는 가수이다.

03 Henry eats breakfast <u>quickly</u>. (형용사 / 부사)
Henry는 아침을 빠르게 먹는다.

04 He is <u>in</u> the classroom. (전치사 / 접속사)
그는 교실 안에 있다.

05 My book is <u>on</u> the desk. (전치사 / 접속사)
내 책이 책상 위에 있다.

06 My sister is <u>very</u> smart. (전치사 / 부사)
나의 여동생은 매우 영리하다.

07 We get up <u>at</u> six. (전치사 / 접속사)
우리는 6시에 일어난다.

08 Jack <u>always</u> gets up early. (접속사 / 부사)
Jack은 항상 일찍 일어난다.

09 I like English <u>but</u> I don't like math. (접속사 / 부사)
나는 영어는 좋아하지만 수학은 싫어한다.

10 Sam walks <u>slowly</u>. (전치사 / 부사)
Sam은 느리게 걷는다.

Words

- library 도서관
- singer 가수
- quickly 빠르게
- smart 영리한
- math 수학

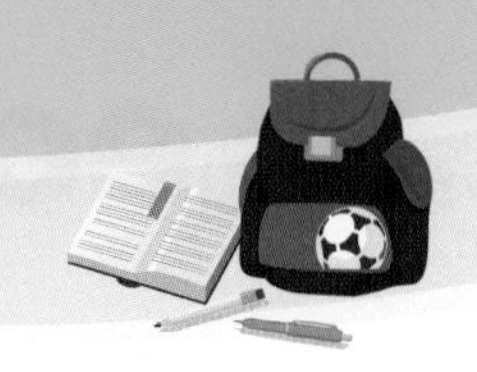

2 다음 문장의 밑줄 친 단어에 해당하는 것을 고르세요.

정답 및 해설 p.2

01 I drink milk <u>in</u> the morning. (전치사 / 부사)
나는 아침에 우유를 마신다.

02 They eat dinner <u>at</u> seven. (전치사 / 부사)
그들은 7시에 저녁을 먹는다.

03 My brother is small <u>but</u> he is strong. (부사 / 접속사)
내 남동생은 키가 작지만 그는 강하다.

04 Three cats are <u>under</u> the table. (전치사 / 접속사)
세 마리 고양이가 식탁 아래에 있다.

05 Is it the sun <u>or</u> the moon? (전치사 / 접속사)
그것은 해니 아니면 달이니?

06 They run <u>fast</u>. (부사 / 접속사)
그들은 빠르게 달린다.

07 Jack is <u>in</u> the park. (전치사 / 접속사)
Jack은 공원에 있다.

08 They study <u>hard</u>. (부사 / 접속사)
그들은 열심히 공부한다.

09 James plays tennis <u>with</u> me. (전치사 / 접속사)
James는 나와 함께 테니스를 친다.

10 She is small <u>and</u> cute. (전치사 / 접속사)
그녀는 작고 귀엽다

Words

- under ~아래에
- strong 강한
- moon 달
- park 공원
- with ~와 함께
- cute 귀여운

1 다음 부사가 있는 문장에는 O, 없으면 X표 하세요.

정답 및 해설 p.2

01 Mike studies hard. O

Mike는 열심히 공부한다.

02 I like chocolate and cookies.

나는 초콜릿과 쿠키를 좋아한다.

03 She speaks quickly.

그녀는 빠르게 말을 한다.

04 I always have breakfast.

나는 항상 아침을 먹는다.

05 Snails move slowly.

달팽이는 느리게 움직인다.

06 We like Korean food.

우리는 한국음식을 좋아한다.

07 The movie begins at 11 o'clock.

그 영화는 11시에 시작한다.

08 She is very tall.

그녀는 매우 키가 크다.

09 My friends are in the gym.

나의 친구들은 체육관에 있다.

10 James sings very well.

James는 노래를 매우 잘 부른다.

Words

- speak 말하다
- quickly 빠르게
- snail 달팽이
- Korean food 한국음식
- food 음식
- begin 시작하다
- gym 체육관

② 다음 전치사가 있는 문장에는 O, 접속사 있는 문장에는 X표 하세요.

정답 및 해설 p.2

01 I have lunch at noon. O
나는 정오에 점심을 먹는다.

02 My mom is tall and beautiful.
엄마는 키가 크고 아름다우시다.

03 She and Tom are teachers.
그녀와 Tom은 선생님이다.

04 Is she a doctor or a nurse?
그녀는 의사니 아니면 간호사니?

05 Three apples are in the basket.
세 개의 사과가 바구니에 있다.

06 I play soccer after school.
나는 방과 후에 축구를 한다.

07 I like her because she is honest.
나는 그녀를 좋아한다. 왜냐하면 그녀는 정직하다.

08 They study in the library.
그들은 도서관에서 공부한다.

09 My school begins at 9 o'clock.
나의 학교는 9시에 시작한다.

10 I have a cat but I don't have a dog.
나는 고양이는 있지만 개는 없다.

Words

- at noon 12시에, 정오에
- basket 바구니
- soccer 축구
- honest 정직한
- library 도서관

Exercise

15-16 Excellent 12-14 Good 9-11 Not bad 8 이하 Try Again

[1-2] 다음 중 같은 종류의 단어끼리 짝지어진 것을 고르세요.

1

① he — go
② boy — beautiful
③ eat — run
④ computer — at
⑤ like — book

1 beautiful 아름다운
computer 컴퓨터

2

① run — is
② cold — in
③ doughnut — fast
④ wow — but
⑤ this — slowly

2 cold 추운
doughnut 도넛
wow 와우(감탄사)
but 그러나
slowly 천천히

3 **다음 문장에서 전치사를 고르세요.**

<u>We</u> <u>eat</u> <u>dinner</u> <u>at</u> <u>seven</u>.
① ② ③ ④ ⑤

3 동사 eat의 목적어를 생각하세요.

4 **다음 문장에서 동사를 고르세요.**

<u>They</u> <u>are</u> <u>in</u> <u>the</u> <u>classroom</u>.
① ② ③ ④ ⑤

4 classroom 교실

5 다음 중 밑줄 친 단어가 동사가 <u>아닌</u> 것을 고르세요.

① She <u>is</u> my aunt.
② They <u>learn</u> English.
③ We <u>eat</u> bread.
④ The animals are <u>bears</u>.
⑤ My friend <u>likes</u> chocolate.

Note

5 learn 배우다
bread 빵
chocolate 초콜릿
bear 곰

[6-7] 다음 중 밑줄 친 단어의 종류가 <u>다른</u> 것을 고르세요.

6
① She is <u>beautiful</u>.
② They are <u>honest</u>.
③ I like <u>apples</u>.
④ The car is <u>new</u>.
⑤ My brother is <u>handsome</u>.

6 fast 빠른, 빠르게
handsome 잘생긴

7
① The book is <u>on</u> the desk.
② They are <u>in</u> the park.
③ I get up <u>at</u> seven.
④ I play <u>with</u> my dolls.
⑤ She <u>and</u> I are classmates.

7 doll 인형
classmate 같은 반 친구

8 밑줄 친 단어의 종류를 쓰세요.

(1)

Simson is <u>very</u> tall.

→ ______________________

(2)

Simson <u>and</u> Jackson are my friends.

→ ______________________

명사

school 학교	tree 나무	Korea 한국	soccer 축구
girl 소녀	music 음악	umbrella 우산	cat 고양이
table 식탁	room 방	dinner 저녁식사	violin 바이올린
sofa 소파	park 공원	pizza 피자	bag 가방
dish 접시	Chinese 중국어	Seoul 서울	lunch 점심
bank 은행	toy 장난감	park 공원	nurse 간호사

형용사

handsome 잘생긴	fast 빠른	happy 행복한	small 작은
weak 약한	strong 강한	good 좋은	big 큰
honest 정직한	beautiful 아름다운	cold 추운	warm 따뜻한
tall 키가 큰	hungry 배고픈	angry 화가 난	tired 피곤한

동사

go 가다	play 놀다, 경기하다	like 좋아하다	eat 먹다
study 공부하다	sing 노래하다	speak 말하다	have 가지다
work 일하다	learn 배우다	live 살다	call 부르다
know 알다	read 읽다	sell 팔다	buy 구매하다
drink 마시다	watch 보다, 지켜보다	walk 걷다	bake 굽다
teach 가르치다	want 원하다	love 사랑하다	make 만들다

부사

well 잘	very 매우	slowly 느리게	hard 열심히
yesterday 어제	today 오늘	every day 매일	fast 빠르게

yesterday와 today는 명사로도 쓰입니다.

명사 I

Word Check

□ ax	□ basket	□ bench	□ bottle	□ box
□ camera	□ carrot	□ church	□ city	□ field
□ handsome	□ lady	□ lamp	□ library	□ office
□ ox	□ playground	□ pond	□ seat	□ thief

UNIT 01 셀 수 있는 명사의 특징과 규칙 변화

명사는 사람, 사물, 동물 등을 나타내는 말입니다.
명사는 셀 수 있는 명사와 셀 수 없는 명사로 구분할 수 있습니다.

❶ 셀 수 있는 명사의 특징

1) 셀 수 있는 명사가 단수(한 개)일 때는 명사 앞에 a(n)을 붙입니다.

a book **a** bus **a** toy **a** monkey **an** apple **an** onion

> plus 1
> 명사가 모음(a, e, i, o, u 등)으로 발음되는 경우 an을 붙입니다.

2) 수사를 붙일 수 있습니다.

two books **four** students **ten** pens

3) 셀 수 있는 명사가 두 개 이상일 때는 복수라고 하며, 단어 끝에 -s나 -es를 붙이고 "~들"이라고 해석합니다.

two book**s** **two** bus**es** **three** toy**s** **three** monkey**s**

❷ 셀 수 있는 명사

동물	monkey, dog, cat, kangaroo, deer, snake, tiger 등
사물	desk, pencil, lamp, computer, bag, knife, tree 등
과일/야채	apple, tomato, potato, carrot, onion, strawberry 등
건물	museum, house, building, library, school, church 등

> plus 2
> 영어는 자음과 모음으로 구분할 수 있으며, 모음은 a, e, i, o, u이며, 이를 제외한 나머지는 모두 자음입니다.

❸ 명사의 복수형을 만드는 규칙 Ⅰ

규칙		예
대부분의 명사	-s	pen → pen**s** book → book**s** dog → dog**s** house → house**s** tree → tree**s** bed → bed**s**
s, x, sh, ch로 끝나는 명사	-es	bus → bus**es** fox → fox**es** church → church**es** ax → ax**es** dish → dish**es** box → box**es**
「자음+y」로 끝나는 명사	y → ies	city → cit**ies** story → stor**ies** party → part**ies**
「모음+y」로 끝나는 명사	-s	boy → boy**s** monkey → monkey**s** toy → toy**s**

Warm up

빈칸에 명사의 뜻을 쓰세요.

정답 및 해설 p.3

1	son	아들
2	hobby	
3	roof	
4	church	
5	fox	
6	cucumber	오이
7	zoo	
8	monkey	
9	story	
10	flower	꽃
11	eraser	
12	pen	
13	egg	
14	bench	
15	ax	

16	student	
17	toy	
18	friend	
19	parents	
20	market	
21	library	
22	mouse	
23	country	
24	candy	
25	question	질문
26	idea	
27	notebook	
28	computer	
29	brush	붓, 솔
30	desk	

명사의 복수형을 확인하기

1 복수형을 만들 때 s가 필요한 단어를 고르세요.

정답 및 해설 p.3

(girl)	bus	bench	brush	friend
party	city	pencil	book	church
cup	box	day	tomato	student
fox	boy	car	ax	story

Words

- friend 친구
- student 학생
- bench 벤치
- party 파티
- city 도시
- wolf 늑대
- computer 컴퓨터
- carrot 당근
- church 교회
- cucumber 오이
- hobby 취미
- day 하루, 날
- dish 접시
- cup 컵

2 복수형을 만들 때 es나 ies가 필요한 단어를 고르세요.

(bus)	girl	bench	brush	party
tree	city	box	cucumber	church
computer	day	dish	boy	carrot
hobby	ax	car	bag	story

3 다음 명사의 올바른 복수형을 고르세요.

정답 및 해설 p.3

01 girl	(girls)	girles
02 pen	pens	penes
03 party	partys	parties
04 bus	buss	buses
05 brush	brushs	brushes
06 city	citys	cities
07 hobby	hobbys	hobbies
08 toy	toys	toyes
09 monkey	monkeys	monkeies
10 zoo	zoos	zooes
11 egg	eggs	egges
12 umbrella	umbrellas	umbrellaes
13 horse	horses	horsese
14 lady	ladys	ladies
15 day	days	daies

- party 파티
- brush 붓, 솔
- city 도시
- hobby 취미
- toy 장난감
- monkey 원숭이
- zoo 동물원
- umbrella 우산
- lady 숙녀

Second Step

명사의 복수형을 직접 만들기

1 다음 명사의 뜻과 복수형을 쓰세요.

정답 및 해설 p.3

		뜻	복수형
01	bench	의자	benches
02	dish		
03	bus		
04	boy		
05	city		
06	bicycle		
07	book		
08	computer		
09	bed		
10	building		
11	leg		
12	party		
13	doll		
14	lamp		
15	flower		

- bicycle 자전거(=bike)
- building 건물

② 다음 명사의 뜻과 복수형을 쓰세요.

정답 및 해설 p.3

	뜻	복수형
01 student	학생	students
02 watch		
03 camera		
04 beach		
05 ax		
06 ring		
07 cookie		
08 boat		
09 hat		
10 library		
11 box		
12 star		
13 hospital		
14 church		
15 window		

- student 학생
- library 도서관
- hospital 병원

Third Step 명사의 복수형 문장을 완성하기

다음 괄호 안에서 알맞은 말을 고르세요.

정답 및 해설 p.3

- have 가지고 있다
- bag 가방
- wheel 바퀴
- visit 방문하다
- use 사용하다
- eat 먹다
- in the morning 아침에
- elephant 코끼리
- buy 구매하다

01 We have two (arm / arms).
우리는 두 개의 팔을 가지고 있다.

02 I have a (book / books).
나는 책 한 권을 가지고 있다.

03 My father has three (bag / bags).
나의 아버지는 세 개의 가방을 가지고 계시다.

04 A bicycle has two (wheel / wheels).
자전거는 두 개의 바퀴가 있다.

05 He wants five (box / boxes).
그는 다섯 상자를 원한다.

06 They need a (doctor / doctors).
그들은 의사가 필요하다.

07 We visit five (city / cities).
우리는 다섯 도시를 방문한다.

08 I use two (computer / computers).
나는 두 개의 컴퓨터를 사용한다.

09 Sam eats three (apple / apples) in the morning.
Sam은 아침에 사과 세 개를 먹는다.

10 An elephant has four (leg / legs).
코끼리는 네 개의 다리가 있다.

11 Alice is a (student / students).
Alice는 학생이다.

12 Three (lady / ladies) are in the room.
세 명의 숙녀가 방에 있다.

13 They need three (pencil / pencils).
그들은 세 개의 연필이 필요하다.

14 Jessica buys six (banana / bananas).
Jessica는 여섯 개의 바나나를 산다.

15 Lynda has a (cat / cats).
Lynda는 고양이 한 마리를 가지고 있다.

Writing Step

주어진 단어를 이용하여 우리말을 완성하세요. (필요하면 명사의 형태를 바꾸세요.)

정답 및 해설 p.3

01 나는 딸이 세 명 있다. (three, daughter)

→ I have ______three daughters______.

02 세 명의 학생들이 교실에 있다. (three, student)

→ ________________ are in the classroom.

03 나의 여동생은 당근 다섯 개를 가지고 있다. (five, carrot)

→ My sister has ________________.

04 그 도시에는 도서관이 다섯 개 있다. (five, library)

→ The city has ________________.

05 그 원숭이는 아침에 바나나 두 개를 먹는다. (two, banana)

→ The monkey eats ________________ in the morning.

06 그 소년은 사과가 한 개 있다. (an, apple)

→ The boy has ________________.

07 나의 삼촌은 상자 다섯 개가 필요하다. (five, box)

→ My uncle needs ________________.

08 나의 여동생은 학생이다. (a, student)

→ My sister is ________________.

09 그 자동차에는 좌석이 네 개 있다. (four, seat)

→ The car has ________________.

10 세 마리 사자가 동물원에 있다. (three, lion)

→ ________________ are in the zoo.

11 그는 아들이 두 명 있다. (two, son)

→ He has ________________.

12 Jackson은 매일 샌드위치 세 개를 먹는다. (three, sandwich)

→ Jackson eats ________________ every day.

Words

- daughter 딸
- carrot 당근
- library 도서관
- monkey 원숭이
- uncle 삼촌
- lion 사자
- son 아들
- sandwich 샌드위치
- seat 좌석

명사의 변화

명사의 복수형은 셀 수 있는 명사에서만 가능하며, 불규칙으로 변화하는 명사에 주의해야 합니다.

1 명사의 복수형을 만드는 규칙 II

규칙		예
「자음+o」로 끝나는 명사	s를 붙이는 명사	piano → piano**s** photo → photo**s**
	es를 붙이는 명사	potato → potato**es** tomato → tomato**es** hero → hero**es**
「모음+o」로 끝나는 명사	-s	radio → radio**s** zoo → zoo**s** kangaroo → kangaroo**s** video → video**s**
f 또는 fe로 끝나는 명사	f(e) → -ves	lea**f** → lea**ves** wi**fe** → wi**ves** shel**f** → shel**ves** thie**f** → thie**ves** 예외) roof → roofs

2 명사의 복수형을 만드는 규칙 III

형태가 바뀌는 명사	man → m**e**n woman → wom**e**n child → child**ren** tooth → t**ee**th foot → f**ee**t goose → g**ee**se mouse → **mice** ox → ox**en**
단수와 복수가 같은 명사	sheep → **sheep** fish → **fish** deer → **deer**
복수형태만 취하는 명사	glass**es** jean**s** pant**s** scissor**s**

★ 바지나 가위처럼 두 개로 갈라져 한 쌍을 이루는 명사는 복수형태만을 취합니다.

- ox 황소
- child 어린이
- tooth 이
- foot 발
- goose 거위
- mouse 쥐
- sheep 양
- fish 물고기
- deer 사슴
- glasses 안경
- jeans 청바지
- pants 바지
- scissors 가위
- potato 감자
- leaf 잎
- zoo 동물원
- tomato 토마토
- hero 영웅

Warm up

빈칸에 명사의 뜻을 쓰세요.

정답 및 해설 p.4

1	leaf	나뭇잎
2	deer	
3	woman	
4	hero	
5	goose	
6	foot	
7	piano	
8	kangaroo	
9	man	
10	photo	
11	ox	
12	potato	
13	thief	
14	cake	
15	daughter	

16	wolf	
17	wife	
18	knife	
19	child	
20	tooth	
21	roof	
22	gloves	
23	sheep	
24	tomato	
25	glasses	
26	pants	
27	jeans	
28	fish	
29	scissors	
30	zoo	

First Step

1 복수형을 만들 때 ves가 필요한 단어를 고르세요.

정답 및 해설 p.4

toy	wolf	baby	building	sheep
city	box	knife	party	dish
leaf	lady	tomato	wife	boy
carrot	hobby	hero	shelf	zoo

- toy 장난감
- knife 칼
- wife 부인
- carrot 당근
- hobby 취미
- donkey 당나귀
- chair 의자
- bird 새
- mouse 쥐
- shelf 선반

2 복수형을 만들 때 형태가 바뀌는 단어를 고르세요.

donkey	goose	sheep	woman
tree	child	guitar	flower
room	tooth	foot	deer
chair	fish	bird	mouse

3 다음 명사의 올바른 복수형을 고르세요.

정답 및 해설 p.4

01 potato	potatos	potatoes
02 deer	deers	deer
03 tooth	tooths	teeth
04 wolf	wolfs	wolves
05 tomato	tomatos	tomatoes
06 roof	roofs	rooves
07 child	childs	children
08 knife	knifs	knives
09 foot	foots	feet
10 leaf	leafs	leaves
11 goose	geese	gooses
12 ox	oxes	oxen
13 sheep	sheeps	sheep
14 fish	fishs	fish
15 thief	thiefs	thieves

- wolf 늑대
- roof 지붕
- knife 칼
- leaf 나뭇잎
- lamp 등
- ox 황소
- thief 도둑

Second Step

다양한 명사의 복수형을 직접 써보기

1 다음 명사의 뜻과 복수형을 쓰세요.

정답 및 해설 p.4

		뜻	복수형
01	potato	감자	potatoes
02	tomato		
03	wife		
04	shelf		
05	man		
06	woman		
07	child		
08	tooth		
09	deer		
10	mouse		
11	fox		
12	policeman		
13	zoo		
14	photo		
15	butterfly		

- wife 부인
- shelf 선반
- fox 여우
- policeman 경찰관
- butterfly 나비

2 다음 괄호 안에서 알맞은 말을 고르세요.

정답 및 해설 p.4

01 Mr. Johnson has two (sheep / sheeps).
Johnson 씨는 양 두마리가 있다.

02 The doctor has three (childs / children).
그 의사는 자녀가 세 명이다.

03 Jack has two (fish / fishs).
Jack은 물고기가 두 마리 있다.

04 Five (womans / women) are in the room.
다섯 명의 여자가 방에 있다.

05 The baby has two (tooth / teeth).
그 아기는 이가 두 개 있다.

06 My mother wears (jean / jeans).
나의 엄마는 청바지를 입으신다.

07 We need new (scissor / scissors).
우리는 새로운 가위가 필요하다.

08 My uncle has nine (goose / geese).
나의 삼촌은 거위가 아홉 마리 있다.

09 She wants new (glass / glasses).
그녀는 새로운 안경을 원한다.

10 Five (deer / deers) are in the park.
다섯 마리의 사슴이 공원에 있다.

11 They sell yellow (sock / socks).
그들은 노란 양말을 판다.

12 My aunt has two (babys / babies).
나의 숙모는 아기가 두 명이다.

13 The goose has two (foot / feet).
거위는 발이 두 개이다.

14 Three (mouse / mice) are in the room.
세 마리의 쥐가 방 안에 있다.

15 The two (man / men) are handsome.
그 두 남자는 잘생겼다.

- in the room 방 안에
- wear 입다
- scissors 가위
- in the park 공원에
- yellow 노란
- handsome 잘생긴

Third Step

명사의 복수형을 사용해 문장을 완성하기

주어진 단어를 이용해 다음 빈칸에 알맞은 말을 쓰세요.

정답 및 해설 p.4

Words

- beauty shop 미용실
- basket 바구니
- nurse 간호사
- library 도서관

01 I need new ___pants___. (pants)
나는 새로운 바지가 필요하다.

02 My mom wears ______________. (glasses)
나의 엄마는 안경을 쓰신다.

03 We have three ______________. (sheep)
우리는 양 세 마리가 있다.

04 There are five ______________ in the beauty shop. (woman)
미용실에 다섯 명의 여자가 있다.

05 Two ______________ are in the zoo. (wolf)
늑대 두 마리가 동물원에 있다.

06 Sam wants ten ______________. (tomato)
Sam은 토마토 열 개를 원한다.

07 There are three ______________ in the basket. (orange)
바구니에 오렌지 세 개가 있다.

08 She has two ______________. (deer)
그녀는 사슴 두 마리가 있다.

09 My mom is a ______________. (nurse)
나의 엄마는 간호사이시다.

10 Four ______________ are in the library. (child)
네 명의 아이들이 도서관에 있다.

11 There are two ______________ on the table. (knife)
식탁 위에 칼이 두 개 있다.

12 I need two ______________. (pencil)
나는 연필 두 개가 필요하다.

Writing Step

주어진 단어를 이용하여 우리말을 완성하세요. (필요하면 명사의 형태를 바꾸세요.)

정답 및 해설 p.4

- ox 황소
- office 사무실
- park 공원
- blue jeans 청바지
- window 창문
- pond 연못
- yellow 노란, 노란색

01 내 형은 사슴 두 마리가 있다. (has, two, deer)

→ My brother ___has two deer___.

02 자동차 안에 3명의 아이들이 있다. (Three, child)

→ ______________________ are in the car.

03 나는 황소가 다섯 마리 있다. (have, five, ox)

→ I ______________________.

04 사무실에 여섯 명의 남자가 있다. (Six, man)

→ ______________________ are in the office.

05 그 마을은 공원이 다섯 개 있다. (has, five, park)

→ The town ______________________.

06 나의 엄마는 청바지가 세 개 있으시다. (three, has, blue jeans)

→ My mother ______________________.

07 개는 다리가 네 개이다. (four, has, leg)

→ A dog ______________________.

08 그 집은 창문이 여덟 개이다. (eight, window)

→ The house has ______________________.

09 연못에 거위가 세 마리 있다. (Three, goose)

→ ______________________ are in the pond.

10 나는 노란색 바지가 있다. (yellow, pants)

→ I have ______________________.

11 우리는 두 개의 발이 있다. (two, foot)

→ We have ______________________.

12 Alice는 토마토 여섯 개가 필요하다. (six, tomato)

→ Alice needs ______________________.

Final Step 명사의 복수형을 정리하기

1 주어진 단어를 이용해 다음 빈칸에 알맞은 말을 쓰세요.

정답 및 해설 p.4

- office 사무실
- sell 판매하다
- playground 놀이터
- pond 연못
- camera 카메라
- every day 매일
- phone 전화기
- cousin 사촌
- zoo 동물원

01 I have three ____cats____. (cat)
나는 고양이가 세 마리 있다.

02 There are two ____________ in the office. (man)
사무실에 남자가 두 명 있다.

03 We have two ____________. (eye)
우리는 눈이 두 개다.

04 He wears yellow ____________. (pant)
그는 노란색 바지를 입는다.

05 There are five ____________ in the playground. (child)
놀이터에 아이들이 다섯 명 있다.

06 Three ____________ are in the pond. (goose)
연못에 거위 세 마리가 있다.

07 I use two ____________. (camera)
나는 두 개의 카메라를 사용한다.

08 She eats two ____________ every day. (potato)
그녀는 매일 감자 두 개를 먹는다.

09 The store sells ____________. (phone)
그 상점은 전화기들을 판매한다.

10 Four ____________ are in the kitchen. (chair)
네 개의 의자가 부엌에 있다.

11 I have five ____________. (cousin)
나는 사촌이 다섯 명 있다.

12 There are three ____________ in the zoo. (monkey)
동물원에 원숭이가 세 마리 있다.

❷ 다음 밑줄 친 부분을 바르게 고쳐 쓰세요.

정답 및 해설 p.5

01 My father has five <u>bottle</u>. bottles

02 Three <u>deers</u> are in the farm.

03 Five <u>knifes</u> are on the table.

04 I need five <u>potatos</u>.

05 She has a <u>boxes</u>.

06 We visit seven <u>citys</u>.

07 The house has four <u>room</u>.

08 Three <u>sheeps</u> are on the field.

09 James has red short <u>pant</u>.

10 The baby has two <u>tooth</u>.

11 She has five <u>childs</u>.

12 My uncle has an <u>axes</u>.

13 We have two <u>arm</u>.

14 My English teacher wears <u>glass</u>.

15 I need new <u>shoe</u>.

Words

- bottle 병
- farm 농장
- box 상자
- visit 방문하다
- field 들판
- ax 도끼
- arm 팔

Exercise

15-16 Excellent 12-14 Good 9-11 Not bad 8 이하 Try Again

[1-3] 다음 중 단수형과 복수형의 연결이 잘못된 것을 고르세요.

1 ① deer — deer
② child — children
③ baby — babys
④ chair — chairs
⑤ sheep — sheep

1 「자음+y」로 끝나는 명사의 복수형을 생각하세요.

2 ① potato — potatoes
② dish — dishes
③ friend — friends
④ knife — knifes
⑤ roof — roofs

2 복수형은 일반적으로 명사에 s나 es를 붙인다.

3 ① leaf — leaves
② tooth — teeth
③ fish — fish
④ mouse — mice
⑤ foot — foots

3 복수형 형태가 완전히 바뀌는 단어에 주의하세요.

4 **다음 중 복수형에 s를 붙이지 않는 단어를 고르세요.**

① student
② box
③ piano
④ tree
⑤ photo

4 x로 끝나는 명사의 복수형을 생각하세요.

5 다음 중 명사의 복수형을 고르세요.

① foot ② person
③ wolf ④ geese
⑤ woman

[6-8] 다음 중 빈칸에 알맞은 말을 고르세요.

6

We need five ______________________.

① pencil ② person
③ student ④ children
⑤ man

7

They have two ______________________.

① houses ② farm
③ knife ④ scissor
⑤ hero

8

James wears ______________________.

① shoe ② glass
③ jeans ④ short pant
⑤ sock

Note

5 person(사람)의 복수형은 people(사람들)이다.

6 person 사람

7 farm 농장

8 한 쌍을 이루는 명사는 복수형 태만을 취합니다.

Exercise

[9-11] 다음 중 잘못된 문장을 고르세요.

9 ① We need two rooms.
② He has five tomatoes.
③ My uncle has three deers.
④ Three apples are in the basket.
⑤ I use two monitors.

9 basket 바구니
monitor 모니터

10 ① Kevin has two books.
② I like apples.
③ He wants five erasers.
④ Two cat are under the table.
⑤ My mom needs three potatoes.

10 eraser 지우개
under the table 테이블 아래에

11 ① My brother has two caps.
② Lynda is a teacher.
③ Jack teaches three woman.
④ The house has six windows.
⑤ Many sheep are in the zoo.

11 teach 가르치다
window 창문

12 다음 중 복수형에 ies가 필요한 단어를 고르세요.

① monkey
② toy
③ boy
④ day
⑤ lady

12 toy 장난감
「자음+y」로 끝나는 명사의 복수형을 생각하세요.

[13-15] 우리말과 의미가 같도록 빈칸에 알맞은 말을 쓰세요.

13-15
복수형 명사를 생각하세요.

13

그녀는 칼이 두 개 있다. (knife)

→ She has two ______________________.

14

그 아기는 이가 네 개다. (tooth)

→ The baby has four ______________________.

15

나는 토마토가 여덟 개 필요하다. (tomato)

→ I need eight ______________________.

16 다음 각 명사의 복수형을 쓰세요.

16 church 교회
ox 황소

(1) foot - ______________________

(2) church - ______________________

(3) ox - ______________________

(4) wife - ______________________

(5) deer - ______________________

미국의 *landmark*

Statue of Liberty

Statue of Liberty(자유의 여신상)은 미국과 프랑스 간의 우정을 기념하기 위해 세워졌습니다. 자유의 여신상 높이는 46.1m이고 무게는 225t입니다. 1885년 프랑스에서 완성되었고, 뉴욕으로 이송되어 Liberty Island에 새워졌습니다.

받침대를 포함한 높이는 92m이고, 오른손에 횃불을 들고 있으며, 왼손에는 1776년 7월 4일이라는 날짜가 새겨진 서판을 들고 있습니다. 발코니까지 엘리베이터가 운행되고 있으며 머리 부분의 전망대까지는 나선형 계단이 설치되어 있어 사람들이 올라갈 수 있습니다.

명사 Ⅱ

Word Check

□ advice	□ country	□ farm	□ flour	□ friendship
□ furniture	□ learn	□ loaf	□ meat	□ mountain
□ oil	□ peace	□ prepare	□ put	□ shelf
□ slice	□ soccer	□ soup	□ train	□ wine

UNIT 01 셀 수 없는 명사와 특징

셀 수 없는 명사는 하나, 둘, 셀 수 없는 명사를 의미하며 일정한 형태가 없습니다.

1 셀 수 없는 명사의 특징

1) 셀 수 없는 명사는 복수형을 만들 수 없습니다.

air (o) – airs (x)　　water (o) – waters (x)　　money (o) – moneys (x)

2) 셀 수 없는 명사 앞에는 부정관사 a(n)을 붙일 수 없습니다.

an air (x) – a water (x)　　a money (x) – a Paris (x)

3) 수사가 직접 수식할 수 없습니다.

two cheeses (x) – **two pieces of** cheese (o)
three milks (x) – **three glasses of** milk (o)

plus

사람 이름, 나라 이름, 도시, 달 이름의 첫 글자는 항상 대문자로 한다.
Korea (o) – korea (x)
Jane (o) – jane (x)
January (o) – january (x)

2 셀 수 없는 명사

대문자로 시작하는 사람 이름, 나라 이름, 도시 이름 등	Jennifer, Canada, Seoul, Korea, New York, Mike 등
언어	Korean, Japanese, Chinese 등 한국어 일본어 중국어
눈으로 볼 수 없는 것이나 감정 등을 나타내는 말	love, happiness, friendship, homework, peace 등 사랑 행복 우정 숙제 평화
학교 과목 이름	math, English, science, history, music 등 수학 영어 과학 역사 음악
운동 이름	baseball, soccer, basketball 등 야구 축구 농구
물질을 나타내는 것	water, air, snow, rain, gold, oil, paper 등 물 공기 눈 비 금 기름 종이
너무 작거나 너무 많아서 셀 수 없는 것	salt, sugar, hair, grass 등 소금 설탕 머리카락 풀
음식 관련 이름	rice, flour, cheese, bread 등 쌀 밀가루 치즈 빵
액체	milk, water, juice, coffee, tea 등 우유 물 주스 커피 차
사물의 집합체	money, food, furniture 등 돈 음식 가구
달 이름	January, March, November, December 등 1월 3월 11월 12월

Warm up

빈칸에 명사의 뜻을 쓰세요.

정답 및 해설 p.5

1	air	공기
2	meat	
3	tea	
4	bread	
5	paper	
6	rice	
7	soup	
8	friendship	
9	happiness	
10	homework	
11	sugar	
12	soccer	
13	baseball	
14	basketball	
15	music	

16	food	
17	love	
18	coffee	
19	peace	
20	oil	
21	furniture	
22	history	
23	January	
24	rain	
25	cheese	
26	December	
27	science	
28	flour	
29	math	
30	hair	

First Step 셀 수 없는 명사를 확인하기

1 셀 수 없는 명사끼리 짝지어진 것을 고르세요.

정답 및 해설 p.6

01	milk / water	room / slice
02	Korea / peace	air / chicken
03	Busan / apple	coffee / rice
04	flour / meat	rose / flower
05	juice / money	book / air
06	tea / love	car / Japan
07	salt / sugar	piano / guitar
08	shelf / doll	hair / friendship
09	rice / oil	story / store
10	July / Seoul	tower / computer
11	lamp / magazine	gold / Mike
12	cheese / bread	toy / bowl
13	church / arm	soup / money
14	mouth / river	science / history
15	rain / snow	cup / train

Words

- slice 조각
- peace 평화
- air 공기
- rice 쌀
- meat 고기
- shelf 선반
- doll 인형
- friendship 우정
- store 가게
- magazine 잡지
- bowl 사발
- river 강
- train 기차

2 셀 수 없는 명사끼리 짝지어진 것을 고르세요.

정답 및 해설 p.6

01	oil / salt	April / ball
02	butter / Korean	science / scientist
03	Seoul / November	piano / rice
04	love / friendship	music / school
05	English / math	son / March
06	coffee / gas	apple / soccer
07	toy / car	soccer / rain
08	Canada / Mike	doctor / nurse
09	school / oil	water / September
10	bread / peace	cup / table
11	kitchen / computer	furniture / paper
12	soup / food	market / mouse
13	pencil / leg	rice / flour
14	mountain / pond	money / tea
15	May / gold	restaurant / bus

Words

- oil 기름
- scientist 과학자
- gas 가스
- nurse 간호사
- furniture 가구
- market 시장
- mountain 산
- May 5월

Second Step 셀 수 없는 명사를 직접 찾아보기

1 다음 괄호 안에서 알맞은 말을 고르세요.

정답 및 해설 p.6

- furniture 가구
- every day 매일
- breakfast 아침
- aunt 고모, 이모, 숙모
- science 과학
- live in ~에 산다
- in the morning 아침에
- cousin 사촌

01 They sell (furniture / furnitures).

02 She drinks (milk / milks) every day.

03 They eat (bread / breads) for breakfast.

04 Sam wears (a glass / glasses).

05 My aunt has long (a hair / hair).

06 We know (Mike / mike).

07 My sister learns (sciences / science).

08 I need (money / monies).

09 She lives in (London / london).

10 I want some (butter / butters).

11 My father needs (shoe / shoes).

12 Jessica eats (soup / soups) in the morning.

13 I study (an English / English) on Sunday.

14 My cousin is (a scientist / scientist).

15 My mom drinks (coffee / coffees) every day.

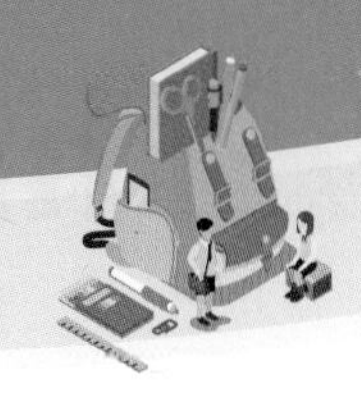

② 다음 문장에서 셀 수 없는 명사를 고르세요. (없는 문장에는 X표 하세요.)

정답 및 해설 p.6

01 My friends live in Seoul.

02 My brother likes cheese.

03 They have seven sheep.

04 I play basketball in the gym.

05 He drinks coffee.

06 I have some money.

07 I like my friend, John.

08 They learn Japanese at school.

09 My father has a big dog.

10 My favorite subject is history.

11 They are from Canada.

12 We need air.

13 She wants cold water.

14 Three deer are in the farm.

15 My mother drinks tea every day.

- gym 체육관
- learn 배우다
- favorite 좋아하는
- subject 과목
- history 역사
- farm 농장
- every day 매일

Third Step

셀 수 없는 명사 문장을 제대로 완성하기

다음 문장에서 잘못된 부분을 바르게 고쳐 쓰세요.

정답 및 해설 p.7

01 Jane likes musics. musics → music
Jane은 음악을 좋아한다.

02 My father plays golfs.
나의 아버지는 골프를 하신다.

03 Alex has two doughnut.
Alex는 도넛이 두 개 있다.

04 We have snows in December.
12월에는 눈이 온다.

05 Mr. Smith drinks coffees after dinner.
Smith 씨는 저녁식사 후에 커피를 마신다.

06 There are nine deers on the field.
들판에 사슴 아홉 마리가 있다.

07 The actor lives in a Paris.
그 배우는 파리에 산다.

08 They need a rice.
그들은 쌀이 필요하다.

09 A New York is a big city.
뉴욕은 큰 도시이다.

10 He puts sugars in his coffee.
그는 커피에 설탕을 넣는다.

11 We drink milks every day.
우리는 매일 우유를 마신다.

12 They speak a Chinese.
그들은 중국어를 한다.

13 A Jessica has a beautiful dress.
Jessica는 아름다운 드레스가 있다

14 My school begins in a March.
나의 학교는 3월에 시작한다.

15 My mother has long hairs.
나의 어머니는 머리카락이 길다.

Words

- music 음악
- doughnut 도넛
- December 12월
- field 들판
- actor 배우
- put 넣다
- begin 시작하다
- March 3월

Writing Step

주어진 단어를 이용하여 우리말을 완성하세요. (필요하면 수정해서 완성하세요.)

정답 및 해설 p.7

- Germany 독일
- flour 밀가루
- soccer 축구
- subject 과목

01 그들은 중국에 산다. (live in, china)
→ They ______ live in China ______.

02 내 여동생은 눈을 좋아한다. (likes, snows)
→ My sister ____________________.

03 우리는 3월에 꽃을 볼 수 있다. (flowers, in, march)
→ We can see ____________________.

04 그는 다섯 명의 아이가 있다. (five, child)
→ He has ____________________.

05 그 학생들은 독일에서 왔다. (are, from, a Germany)
→ The students ____________________.

06 나의 아버지는 빵을 매일 드신다. (eats, a bread)
→ My father ____________________ every day.

07 나는 소금을 나의 수프에 넣는다. (put, salts)
→ I ____________________ in my soup.

08 그 남자는 밀가루를 가지고 있다. (has, a flour)
→ The man ____________________.

09 내가 좋아하는 운동은 축구이다. (is, a soccer)
→ My favorite sport ____________________.

10 우리는 평화를 원한다. (want, a peace)
→ We ____________________.

11 내가 좋아하는 과목은 수학이다. (is, a math)
→ My favorite subject ____________________.

12 내 엄마는 아침에 커피를 드신다. (drinks, in the morning, coffees)
→ My mom ____________________.

셀 수 없는 명사 표현 방법

셀 수 없는 명사는 단위나 물질이 담겨 있는 용기를 이용해서 표현합니다.

• 셀 수 없는 명사의 수량 표현

조각	piece (slice)	a piece(slice) of (한 조각) two pieces(slices) of (두 조각)	+ cheese 치즈, pizza 피자, bread 빵 등
차가운 음료	glass	a glass of (한 잔) two glasses of (두 잔)	+ milk 우유, water 물, juice 주스 등
뜨거운 음료	cup	a cup of (한 잔) two cups of (두 잔)	+ coffee 커피, tea 차 등
병	bottle	a bottle of (한 병) two bottles of (두 병)	+ beer 맥주, wine 와인, juice 주스 등
덩어리	loaf	a loaf of (한 덩어리) two loaves of (두 덩어리)	+ bread 빵, meat 고기 등
장 (종이)	sheet	a sheet of (한 장) two sheets of (두 장)	+ paper 종이, glass 유리 등
그릇, 대접	bowl	a bowl of (한 그릇) two bowls of (두 그릇)	+ rice 밥, soup 수프 등
자루, 부대, 봉지	bag	a bag of (한 자루[부대]) two bags of (두 자루[부대])	+ sugar 설탕, flour 밀가루, rice 쌀 등

plus 1

복수를 나타낼 때에는 용기나 단위를 복수형으로 하면 됩니다.

a cup of coffee 커피 한 잔 　 a slice of cheese 치즈 한 조각
two **cups** of coffee 커피 두 잔 　 two **slices** of cheese 치즈 두 조각
three **cups** of coffee 커피 세 잔 　 three **slices** of cheese 치즈 세 조각

plus 2

우리가 흔히 '충고 한마디 할게.' 라고 할 때 '충고 한마디'는 a piece of advice라고 표현합니다.

- a piece of 한 조각의
- a glass of 한 잔의
- a cup of 한 컵의
- a bowl of 한 그릇의
- a sheet of 한 장의
- a loaf of 한 덩어리의
- a bottle of 한 병의
- a bag of 한 부대의

Warm up

우리말과 의미가 같도록 괄호 안에서 알맞은 말을 고르세요.

정답 및 해설 p.7

01	물 한 잔	a (cup / glass) of water
02	커피 두 잔	two (cups / glasses) of coffee
03	우유 네 잔	four (pieces / glasses) of milk
04	피자 다섯 조각	five (slices / glasses) of pizza
05	샴푸 일곱 병	seven (cups / bottles) of shampoo
06	빵 한 덩어리	a (loaf / loaves) of bread
07	종이 다섯 장	five (sheets / bags) of paper
08	충고 한마디	a (piece / sheet) of advice
09	소금 세 봉지	three (bags / loaves) of salt
10	주스 여섯 잔	six (bowls / glasses) of juice
11	시리얼 한 그릇	a (glass / bowl) of cereal
12	설탕 한 봉지	a (bag / loaf) of sugar
13	케이크 한 조각	a (loaf / piece) of cake
14	물 네 잔	four (glasses / sheets) of water
15	치즈 다섯 조각	five (bottles / slices) of cheese

Words

- a piece of advice 충고 한마디
- cereal 곡물

First Step

셀 수 없는 명사의 수량 표현을 확인하기

1 다음 영어를 우리말로 쓰세요.

정답 및 해설 p.7

01 a glass of water 물 한 잔

02 five sheets of paper

03 two bottles of juice

04 two glasses of juice

05 two cups of coffee

06 four bags of rice

07 three bowls of rice

08 a bottle of water

09 a bag of flour

10 three pieces of cake

11 five bottles of wine

12 a glass of wine

13 two slices of cheese

14 five pieces of pizza

15 four cups of tea

- rice 쌀, 밥
- flour 밀가루
- wine 와인
- cheese 치즈

2 다음 우리말을 영어로 쓰세요.

정답 및 해설 p.7

01 커피 두 잔 two ___cups of coffee___

02 물 세 병 three ________________

03 케이크 세 조각 three ________________

04 종이 다섯 장 five ________________

05 피자 여덟 조각 eight ________________

06 수프 세 그릇 three ________________

07 고기 두 덩이 two ________________

08 소금 여섯 자루 six ________________

09 치즈 두 조각 two ________________

10 차 세 잔 three ________________

11 시리얼 여섯 그릇 six ________________

12 유리 두 장 two ________________

13 주스 세 병 three ________________

14 우유 두 잔 two ________________

15 빵 두 덩어리 two ________________

Words

- paper 종이
- soup 수프
- loaf 덩어리
- cereal 시리얼
- meat 고기
- tea 차
- glass 유리
- bread 빵

Second Step

셀 수 없는 명사의 수량 표현을 써보기

1 보기를 이용하여 우리말과 의미가 같도록 빈칸에 알맞은 말을 쓰세요.

정답 및 해설 p.7

glass / glasses	cup / cups	piece / pieces	loaf / loaves
bowl / bowls	bag / bags	bottle / bottles	sheet / sheets

01 I eat two ______loaves______ of bread for dinner.
나는 저녁으로 빵 두 덩어리를 먹는다.

02 The cook needs a ______________ of salt.
그 요리사는 소금 한 부대가 필요하다.

03 Jessie drinks a ______________ of tea in the morning.
Jessie는 아침에 차를 한 잔 마신다.

04 My sister eats two ______________ of pizza for lunch.
나의 여동생은 점심식사로 피자 두 조각을 먹는다.

05 My mom drinks a ______________ of milk every day.
나의 엄마는 매일 우유를 한 병 드신다.

06 She wants five ______________ of sugar.
그녀는 설탕 다섯 부대를 원한다.

07 Annie needs a ______________ of advice.
Annie는 충고 한마디가 필요하다.

08 We use a ______________ of paper every day.
우리는 매일 종이 한 장을 사용한다.

09 I need five ______________ of glass.
나는 유리 다섯 장이 필요하다.

10 He prepares ten ______________ of wine for the party.
그는 파티를 위해 와인 열 잔을 준비한다.

11 She buys two ______________ of milk every day.
그녀는 매일 우유 두 병을 산다.

12 Jeff eats a ______________ of soup for breakfast.
Jeff는 아침식사로 수프 한 그릇을 먹는다.

- for dinner 저녁식사로
- cook 요리사, 주방장
- for lunch 점심식사로
- advice 충고
- prepare 준비하다
- party 파티
- buy 사다
- for breakfast 아침식사로

2 보기를 이용하여 우리말과 의미가 같도록 빈칸에 알맞은 말을 쓰세요.

정답 및 해설 p.7

glass / glasses	cup / cups	piece / pieces	loaf / loaves
bowl / bowls	bag / bags	bottle / bottles	sheet / sheets

- every day 매일
- flour 밀가루
- wine 와인

01 I drink a ___glass___ of water.
나는 물 한 잔을 마신다.

02 We need five ______________ of paper.
우리는 종이 다섯 장이 필요하다.

03 The boy has two ______________ of juice.
그 소년은 주스 두 병을 가지고 있다.

04 He drinks two ______________ of juice every day.
그는 매일 주스 두 잔을 마신다.

05 She drinks two ______________ of coffee every day.
그녀는 매일 커피 두 잔을 마신다.

06 Alice wants four ______________ of rice.
Alice는 쌀 네 자루를 원한다.

07 Alice eats three ______________ of rice.
Alice는 밥 세 그릇을 먹는다.

08 Jessica has a ______________ of water.
Jessica는 물 한 병을 가지고 있다.

09 We need a ______________ of flour.
우리는 밀가루 한 부대가 필요하다.

10 Susie wants three ______________ of cake.
Susie는 케이크 세 조각을 원한다.

11 My father has five ______________ of meat.
아버지는 고기 다섯 덩어리가 있으시다.

12 My father drinks a ______________ of tea every day.
아버지는 매일 차 한 잔을 마신다.

Third Step

수량 표현 문장을 제대로 완성하기

밑줄 친 부분을 바르게 고쳐 쓰세요.

정답 및 해설 p.8

01 I drink a loaf of milk every day. — glass
나는 매일 우유 한 잔을 마신다.

02 We need three sheet of paper.
우리는 세 장의 종이가 필요하다.

03 Sam has five pieces of cheeses.
Sam은 치즈가 다섯 조각 있다.

04 She has three cups of beer.
그녀는 맥주 세 병이 있다.

05 I eat two cups of pizza for lunch.
나는 점심식사로 피자 두 조각을 먹는다.

06 I drink five glasses of waters every day.
나는 매일 물 다섯 잔을 마신다.

07 We need two loaf of meat.
우리는 고기 두 덩어리가 필요하다.

08 James buys two bottle of milk every day.
James 매일 우유 두 병을 산다.

09 James eats two bottle of cake every day.
James 매일 케이크 두 조각을 먹는다.

10 Sarah eats two bottle of soup for dinner.
Sarah는 저녁식사로 수프 두 그릇을 먹는다.

11 My mom wants three bags of salts.
엄마는 소금 세 부대를 원하신다.

12 We need three slices of wine.
우리는 와인 세 잔이 필요하다.

13 We need a piece of advices.
우리는 충고 한마디가 필요하다.

14 I want two pieces of pizzas.
나는 피자 두 조각을 원한다.

15 I want a cup of coffees.
나는 커피 한 잔을 원한다.

Words

- every day 매일
- pizza 피자
- meat 고기
- soup 수프

Writing Step

주어진 단어를 이용하여 우리말을 완성하세요. (필요하면 수정해서 완성하세요.)

정답 및 해설 p.8

01 그는 피자 두 조각을 먹는다. (two piece of, pizza)

→ He eats ______two pieces of pizza______.

02 우리는 소금 두 부대가 필요하다. (two bag of, salt)

→ We need ____________________.

03 나의 엄마는 아침식사 후 차 두 잔을 드신다. (two cup of, tea)

→ My mom drinks ____________________ after breakfast.

04 나는 매일 우유 세 잔을 마신다. (three glass of, milk)

→ I drink ____________________ every day.

05 Jim은 물 한 병이 필요하다. (a bottle of, water)

→ Jim needs ____________________.

06 Kevin은 점심식사로 빵 세 덩어리를 먹는다. (three loaf of, bread)

→ Kevin eats ____________________ for lunch.

07 나는 자주 아침에 수프 두 그릇을 먹는다. (two bowl of, soup)

→ I often eat ____________________ in the morning.

08 그녀는 오렌지 주스 세 잔을 원한다. (three glass of, orange juice)

→ She wants ____________________.

09 나의 남동생은 치즈 네 조각을 가지고 있다. (four slice of, cheese)

→ My brother has ____________________.

10 그 소년은 다섯 장의 종이가 필요하다. (five sheet of, paper)

→ The boy needs ____________________.

11 피자 한 조각 주세요. (slice of, pizza)

→ Please give me ____________________.

12 나는 저녁식사로 밥 두 그릇을 먹는다. (two bowl of, rice)

→ I eat ____________________ for dinner.

Words

- loaf 덩어리
- bowl 그릇, 사발

Final Step 셀 수 없는 명사의 문장을 정리하기

1 우리말과 일치하도록 빈칸에 알맞은 말을 쓰세요.

정답 및 해설 p.8

01 We need ______sugar______.
우리는 설탕이 필요하다.

02 We need three loaves of ______________.
우리는 빵 세 덩어리가 필요하다.

03 His birthday is in ______________.
그의 생일은 3월이다.

04 I want two loaves of ______________.
나는 고기 두 덩어리를 원한다.

05 ______________ is a beautiful country.
캐나다는 아름다운 나라이다.

06 They learn ______________ at school.
그들은 학교에서 수학을 배운다.

07 She wants some ______________.
그녀는 약간의 돈을 원한다.

08 My uncle teaches ______________.
나의 삼촌은 영어를 가르치신다.

09 The mountain is beautiful in ______________.
그 산은 11월에 아름답다.

10 The cook uses ______________.
그 요리사는 소금을 사용한다.

11 I need some ______________.
나는 물이 좀 필요하다.

12 She puts some ______________ on pizza.
그녀는 피자에 약간의 치즈를 올린다.

Words

- birthday 생일
- March 3월
- meat 고기
- country 나라
- mountain 산
- November 11월
- cook 요리사
- use 사용하다
- put 놓다

❷ 우리말과 일치하도록 빈칸에 알맞은 말을 쓰세요.

정답 및 해설 p.8

- glass 유리
- meat 고기
- salt 소금
- after dinner 저녁식사 후

01 We drink two ___glasses___ of milk every day.
우리는 매일 우유 두 잔을 마신다.

02 We need a ____________ of paper.
우리는 종이 한 장이 필요하다.

03 Jane has three pieces of ____________.
Jane은 치즈가 세 조각 있다.

04 He has three ____________ of wine.
그는 와인이 세 병 있다.

05 We eat two ____________ of cake for lunch.
우리는 점심식사로 케이크 두 조각을 먹는다.

06 My father drinks two ____________ of wine every day.
나는 아버지는 매일 와인 두 잔을 드신다.

07 We need two ____________ of meat.
우리는 고기 두 덩어리가 필요하다.

08 Jessica needs a ____________ of salt every day.
Jessica는 매일 소금 한 부대가 필요하다.

09 Jessica eats two ____________ of bread for breakfast.
Jessica는 아침식사로 빵 두 조각을 먹는다.

10 Sarah has two ____________ of water.
Sarah는 물 두 병이 있다.

11 He drinks a ____________ of water after dinner.
그는 저녁식사 후에 물 한 잔을 마신다.

12 They need three ____________ of tea.
그들은 차 세 잔이 필요하다.

Exercise

15-16 Excellent 12-14 Good 9-11 Not bad 8 이하 Try Again

[1-2] 다음 중 셀 수 없는 명사를 고르세요.

1 ① milk ② chair
③ window ④ church
⑤ sheep

2 ① bottle ② cheese
③ carrot ④ market
⑤ photo

[3-4] 다음 중 셀 수 없는 명사가 아닌 것을 고르세요.

3 ① peace ② love
③ friendship ④ computer
⑤ science

4 ① Korea ② December
③ music ④ water
⑤ bag

[5-7] 다음 중 빈칸에 들어갈 알맞은 말을 고르세요.

5

She drinks a ________ of tea in the morning.

① glass ② loaf ③ cup
④ piece ⑤ bowl

Note

1 church 교회
window 창문
sheep 양

2 bottle 병
photo 사진

3 peace 평화
friendship 우정
science 과학
눈으로 볼 수 없는 것이나 감정 등을 나타내는 말은 셀 수 없습니다.

4 December 12월

5 in the morning 아침에

6

Jack needs a __________ of cold water.

① slice ② loaf ③ bottle
④ piece ⑤ sheet

Note

6 need 필요하다

7

I drink two __________ of milk every day.

① glasses ② loaves ③ slices
④ pieces ⑤ bags

7 every day 매일

[8-9] 다음 중 빈칸에 공통으로 들어갈 알맞은 말을 고르세요.

8

- I want a ____________ of pizza.
- She needs a ____________ of advice.

① glass ② loaf ③ cup
④ piece ⑤ bag

8 advice 충고

9

- I want a ____________ of juice.
- He drinks a ____________ of wine every night.

① slice ② loaf ③ bowl
④ sheet ⑤ glass

9 wine 와인
every night 매일 밤에

Exercise

[10-12] 다음 중 잘못된 문장을 고르세요.

10 ① My mom needs a bag of sugar.
② They want a bottle of water.
③ We need two bowls of cheese.
④ I drink two cups of coffee every day.
⑤ He eats three slices of pizza.

11 ① My father has two pieces of pizza.
② I eat a bowl of soup for breakfast.
③ We need two bags of salts.
④ She drinks a glass of juice every day.
⑤ The man needs a bottle of beer.

12 ① I like music.
② We eat cheese every day.
③ I like a history.
④ She likes snow.
⑤ He knows Susan.

13 **다음 영어를 우리말로 쓰세요.**

(1) a slice of cheese ______________________

(2) three pieces of pizza ______________________

(3) a cup of tea ______________________

(4) a bowl of soup ______________________

(5) two glasses of milk ______________________

10 two pieces of cheese 치즈 두 조각

11 salt, sugar와 같이 너무 작거나 너무 많아서 셀 수 없는 것은 복수 형태를 취할 수 없습니다.

12 history 역사

13 soup 수프

14 밑줄 친 부분을 우리말에 맞게 바르게 고쳐 쓰세요.

(1) Jane has a <u>glass</u> of juice. (Jane은 주스 한 병이 있다.)

→ ____________

(2) She needs two <u>loafs</u> of meat. (그녀는 고기 두 덩어리가 필요하다.)

→ ____________

Note

14 loaf의 복수형을 생각해보세요.

[15-16] 우리말과 의미가 같도록 빈칸에 알맞은 말을 쓰세요.

15

나는 아침식사로 시리얼 한 그릇을 먹는다.

→ I eat a __________________ of cereal for breakfast.

15 cereal 곡물

16

나는 종이 세 장이 있다.

→ I have three __________________ of paper.

Take a break!

우리의 신체를
영어로 어떻게 말하는지 알아보자!

관사

Word Check

□ air	□ artist	□ bowl	□ class	□ corner
□ fly	□ history	□ hospital	□ interesting	□ museum
□ pass	□ picture	□ practice	□ rise	□ set
□ shine	□ stage	□ subject	□ subway	□ visit

UNIT 01 부정관사

관사는 명사 앞에 와서 명사의 의미를 보다 명확하게 하는 역할을 합니다.
관사는 a/an(부정관사)과 the(정관사) 두 종류가 있습니다.

1 관사 a/an의 쓰임 I

셀 수 있는 명사의 단수형 앞에	**a** car **a** book **a** bus **a** lawyer
종류나 종족 전체를 나타냅니다.	**A** horse is a useful animal. 말은 유용한 동물이다. **A** dog is faithful. 개는 충직하다.
특별히 정해지지 않은 단수명사 앞에 씁니다.	This is **a** camera. 이것은 카메라이다. I have **a** cat. 나는 고양이가 있다.
사람, 사물 등이 '하나(one)'임을 나타냅니다.	I have **a** sister. 나는 여자형제 한 명이 있다. He reads a book for **an** hour. 그는 1시간 동안 책을 읽는다.
시간을 나타내는 명사 앞에서 '~에'를 의미합니다.	I play the piano once **a** week. 나는 일주일에 한 번 피아노을 연주한다.

plus 1
a는 정해지지 않은 고양이를 의미하고 있습니다. 말하는 사람은 알고 있지만 우리는 그 고양이가 어떤 고양이인지 모릅니다.

2 관사 a/an의 쓰임 II

모음(a, e, i, o, u 등) 발음으로 시작하는 단어 앞에는 an을 붙입니다.	**an** egg **an** orange **an** hour **an** uncle
복수명사 또는 셀 수 없는 명사 앞에는 a(n)를 쓸 수 없습니다.	**a** girls (x) **a** two balls (x) **a** London (x) **a** money (x) **a** Korea (x) **a** Seoul (x)
단수명사 앞에 형용사가 오면 형용사 앞에 a를 붙입니다.	**a** strong man **a** beautiful girl **a** new car
단수명사 앞에 오는 형용사가 모음 소리로 시작하면 형용사 앞에 an을 붙입니다.	**an** easy book **an** old house **an** honest boy

- 맨 앞의 'h'가 발음이 나지 않는 단어의 앞에는 an을 씁니다.
  a hour (x) an hour (o)
- u가 [ju(유)]로 발음이 될 때는 a를, [ʌ(어)]로 발음될 때는 an을 써야 합니다.
  a uniform (o) an uniform (x)

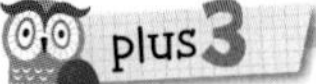

운동, 식사, 과목, 언어, 사람이름, 요일, 달, 나라이름, 도시이름 등 셀 수 없는 명사 앞에는 a/an을 쓸 수 없습니다.

- useful 유용한
- faithful 충직한
- new 새로운
- once 한 번
- easy 쉬운

Warm up

❶ 다음 중 a나 an을 붙일 수 있는 명사를 고르세요.

정답 및 해설 p.8

(orange)	salt	watch	elephant	tiger
hour	country	Japanese	potato	angel
store	bird	shoulder	magazine	bike
rice	girl	school	building	lamp
money	pen	year	sugar	sister

Words

- elephant 코끼리
- store 상점
- shoulder 어깨
- magazine 잡지
- building 건물
- lamp 등
- bike 자전거(=bicycle)
- Japanese 일본어

❷ 다음 중 a나 an을 붙일 수 없는 명사를 고르세요.

(Seoul)	watch	elephant	tigers	countries
Japanese	chairs	babies	shoulder	salt
Korea	magazine	bike	rice	girl
school	meat	lamp	money	pencils
year	market	brothers	sugar	car

First Step 부정관사의 쓰임을 확인하기

1 다음 빈칸에 a나 an을 쓰거나 필요 없는 곳에 X표 하세요.

정답 및 해설 p.9

1 an	actor	2 ______	computer
3 ______	chair	4 ______	sugar
5 ______	air	6 ______	twins
7 ______	watch	8 ______	bus
9 ______	Korea	10 ______	two bikes
11 ______	apple	12 ______	table
13 ______	funny story	14 ______	animal doctor
15 ______	dog	16 ______	interesting book
17 ______	yellow bag	18 ______	coffee
19 ______	wife	20 ______	elephant
21 ______	bear	22 ______	tennis
23 ______	five lamps	24 ______	hour
25 ______	mall	26 ______	umbrella
27 ______	small house	28 ______	uncle
29 ______	picture	30 ______	old car

- actor 배우
- air 공기
- twins 쌍둥이
- bike 자전거
- story 이야기
- interesting 재미있는
- lamp 등
- mall 쇼핑센터
- umbrella 우산
- picture 사진, 그림

2 다음 빈칸에 a나 an을 쓰거나 필요 없는 곳에 X표 하세요.

정답 및 해설 p.9

1	a	puppy	2	______	ant
3	______	egg	4	______	English teacher
5	______	ball	6	______	tea
7	______	good hotel	8	______	horse
9	______	dinner	10	______	two weeks
11	______	pilot	12	______	eraser
13	______	door	14	______	flowers
15	______	breakfast	16	______	uniform
17	______	China	18	______	salt
19	______	English	20	______	cheese
21	______	strong man	22	______	artist
23	______	towel	24	______	pants
25	______	father	26	______	car
27	______	brothers	28	______	igloo
29	______	cap	30	______	doctor

Words

- puppy 강아지
- ant 개미
- pilot 조종사
- eraser 지우개
- artist 예술가
- igloo 이글루

Second Step 부정관사를 직접 써보기

1 다음 괄호 안에서 알맞은 말을 고르세요. 필요 없으면 X표를 고르세요.

정답 및 해설 p.9

- baseball 야구
- honest 정직한
- tiger 호랑이
- farm 농장
- donkey 당나귀

01 I have (a / an) cat.

02 Jessica eats (a / X) three cookies.

03 She is (a / an) beautiful girl.

04 They play baseball once (a / X) week.

05 Jack is (a / an) honest man.

06 They have (a / X) two tigers.

07 He is (a / an) pianist.

08 I like (a / X) dogs.

09 She has (a / an) black dog.

10 They are (a / X) animals.

11 We live in (a / X) Korea.

12 The farm has (a / X) seven donkeys.

13 Sara is (a / an) doctor.

14 We like (a / X) bananas.

15 He has (a / an) old house.

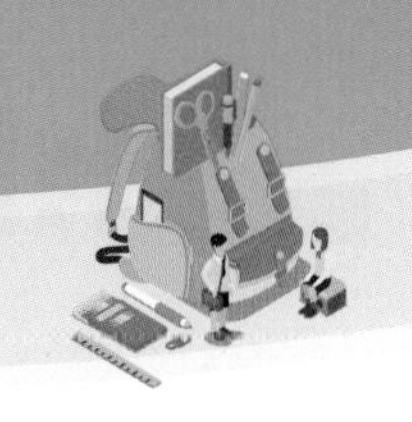

② 다음 빈칸에 a 또는 an을 쓰거나 필요 없으면 X표를 하세요.

정답 및 해설 p.9

01 James has ___an___ interesting book.

02 He plays _________ baseball every day.

03 My sister is _________ student.

04 I live in _________ China.

05 She has _________ long hair.

06 They play the guitar for _________ hour.

07 They are _________ honest students.

08 Mr. Smith has _________ two cars.

09 My uncle visits her twice _________ week.

10 My favorite sport is _________ soccer.

11 My favorite subject is _________ history.

12 My uncle lives in _________ Busan.

13 My sister has _________ beautiful dress.

14 Jane has _________ uncle.

15 The house has _________ seven windows.

- interesting 재미있는
- baseball 야구
- visit 방문하다
- favorite 좋아하는
- subject 과목
- uncle 삼촌

Third Step

부정관사가 있는 문장을 완성하기

다음 밑줄 친 부분을 바르게 고쳐 쓰세요.

정답 및 해설 p.9

01 She is <u>an</u> student. a
그녀는 학생이다.

02 The town has <u>a three libraries</u>.
그 마을에는 도서관이 세 개 있다.

03 My sister speaks <u>a Korean</u> very well.
내 여동생은 한국말을 매우 잘한다.

04 She has <u>a interesting</u> book.
그녀는 재미있는 책이 있다.

05 Jackson likes <u>a animals</u>.
Jackson은 동물들을 좋아한다.

06 He has <u>an new car</u>.
그는 새로운 자동차가 있다.

07 <u>Bird</u> has two legs.
새는 다리가 두 개다.

08 He has <u>a three sisters</u>.
그는 여동생이 세 명 있다.

09 My friends and I live in <u>a Busan</u>.
나의 친구들과 나는 부산에 산다.

10 Lynda has <u>a fast horses</u>.
Lynda는 빠른 말들을 가지고 있다.

11 He is <u>great artist</u>.
그는 위대한 예술가이다.

12 Jejudo is <u>a island</u>.
제주도는 섬이다.

Words

- town 도시
- library 도서관
- interesting 재미있는
- bird 새
- artist 예술가
- island 섬

Writing Step

주어진 단어를 이용하여 우리말을 완성하세요.
(필요하면 단어를 추가하거나 형태를 바꾸세요.)

정답 및 해설 p.9

- doctor 의사
- honest 정직한
- once a day 하루에 한 번
- aunt 이모, 고모, 숙모
- cell phone 휴대전화

01 나의 아버지는 의사이시다. (doctor)

→ My father is ______ a doctor ______.

02 여동생과 나는 과일들을 좋아한다. (like, fruit)

→ My sister and I ____________________.

03 저것은 호랑이다. (is, tiger)

→ That ____________________.

04 우리는 컴퓨터가 필요하다. (need, computer)

→ We ____________________.

05 그녀는 정직한 학생이다. (honest, student)

→ She is ____________________.

06 Jessie는 하루에 한 번 피아노를 친다. (the piano, once, day)

→ Jessie plays ____________________.

07 그녀는 하얀색 고양이를 가지고 있다. (white, cat)

→ She has ____________________.

08 나는 이모가 한 분 계신다. (have, aunt)

→ I ____________________.

09 나의 삼촌은 오래된 자동차가 한 대 있다. (old, car)

→ My uncle has ____________________.

10 그는 오렌지 한 개가 필요하다. (needs, orange)

→ He ____________________.

11 Amy는 새로운 휴대전화를 원한다. (new, cell phone)

→ Amy wants ____________________.

12 한 시간은 60분이다. (hour)

→ ____________________ is sixty minutes.

정관사

정관사 the는 특정한 것이나 반복적인 것을 의미할 때 사용하고, 단수와 복수명사 앞에 모두 올 수 있습니다.

1 정관사 the의 쓰임

1) '그 ~'라는 의미로 특정한 것을 가리키는 셀 수 있는 명사의 단수형과 복수형 앞에 쓸 수 있습니다.

I have **a** book. **The** book is funny. 나는 책이 한 권 있다. 그 책은 재미있다.

I have **a** dog. **The** dog is white.
나는 개가 한 마리 있다. 그 개는 하얀색이다.

plus 1
a dog은 '정해지지 않은 개'를 의미하고, The dog은 '내가 가지고 있는 개'를 의미하기 때문에 dog 앞에 the가 왔습니다.

2) 처음 나오는 명사라 하더라도 나와 말하는 사람이 어느 것을 말하는지 알 때에는 the를 씁니다.

Open **the** window. 그 창문을 열어라. (말하는 사람과 내가 모두 알고 있는 창문)

2 the가 반드시 필요한 단어

세상에 하나밖에 없는 것	**the** earth, **the** sun, **the** moon, **the** world, **the** sky 등
play, practice 앞에 오는 악기 이름 앞에	**the** piano, **the** violin, **the** guitar, **the** cello 등
위치, 방향 앞에	**the** left, **the** right, **the** east, **the** west, **the** south, **the** north 등
아침, 오후, 저녁을 표현할 때	in **the** morning, in **the** afternoon, in **the** evening 등

3 a, an, the가 필요 없는 단어

plus 2
고유명사란 사람이름, 나라이름, 도시이름 등을 의미하며 첫 글자는 대문자로 씁니다. 고유명사는 또한 셀 수 없는 명사입니다.

운동 이름 앞에	soccer, baseball, golf, tennis 등
식사 이름 앞에	breakfast, lunch, dinner 등
과목 이름 앞에	math, history, science, art 등
언어, 고유명사 앞에	Korean, English, Japanese, French, Mike, Tom, Japan, China 등 예외) the U.S.A, the Philippines
요일, 달 이름 앞에	Sunday, Monday, January, April 등

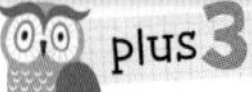

교통수단을 나타낼 때 교통수단 앞에 관사를 사용하지 않습니다.
by bus (버스로) by subway (지하철로) by car (자동차로)
I go to school **by bus**. 나는 버스로 학교에 간다.

- earth 지구
- east 동쪽
- west 서쪽
- south 남쪽
- north 북쪽
- art 미술, 예술
- Japanese 일본어
- French 프랑스어

Warm up

정답 및 해설 p.10

1 다음 중 반드시 the를 붙여야 하는 명사를 고르세요.

ring	moon	China	baseball	stamps
cook	rice	flowers	sun	earth
piano (play)	actor	day	Sunday	family
north	truck	east	flour	west
driver	puppy	sky	guitar (play)	school

2 다음 중 the가 필요 없는 명사를 고르세요.

corner	tooth	soccer	lunch	uniform
train	world	golf	earth	tennis
English	sun	car	dinner	Korean
London	November	daughter	bear	cello (play)
China	guitar	book	ball	dog

Words

- ring 반지
- stamp 우표
- puppy 강아지
- corner 모퉁이
- uniform 유니폼
- Korean 한국어
- daughter 딸
- November 11월
- cello 첼로

정관사의 쓰임을 확인하기

1 다음 빈칸에 the를 쓰거나 필요 없는 곳에 X표 하세요.

정답 및 해설 p.10

01 I play ___the___ cello every day.

02 The bookstore is on _________ left.

03 They speak _________ Japanese.

04 Look at _________ sky.

05 The sun sets in _________ west.

06 The birds fly to _________ south.

07 I like _________ baseball.

08 _________ moon is very bright tonight.

09 Susan plays _________ guitar after school.

10 I wash my car on _________ Saturday.

11 The subway station is on _________ right.

12 We learn English on _________ Monday.

13 Susan practices _________ piano.

14 My birthday is in _________ October.

15 The department store closes in _________ evening.

- bookstore 서점
- set (해 등) 지다
- fly 날다
- bright 밝은 (↔ dark 밝은)
- tonight 오늘밤
- subway 지하철
- station 역
- practice 연습하다
- birthday 생일
- department store 백화점
- close 닫다

2 다음 빈칸에 the를 쓰거나 필요 없는 곳에 X표 하세요.

정답 및 해설 p.10

01 We learn ___X___ Chinese.

02 We watch TV on _________ Sunday.

03 My sister learns _________ math at school.

04 It's cold in _________ December.

05 _________ Canada is a large country.

06 There are many beautiful mountains in ________ world.

07 Mina practices _________ piano once a week.

08 Jeju island is in _________ south of Korea.

09 We live on _________ earth.

10 I love _________ Mike.

11 We walk for an hour in _________ afternoon

12 They have _________ dinner at seven.

13 He has math classes in _________ morning.

14 Please, pass me _________ salt.

15 The plane flies to _________ east.

- math 수학
- December 12월
- mountain 산
- south 남쪽
- once a week 일주일에 한 번
- earth 지구
- class 수업
- pass 건네다

1 다음 괄호 안에서 알맞은 것을 고르세요. 필요 없으면 X표를 고르세요.

정답 및 해설 p.10

01 We live on (a / the) earth.

02 Look at (a / the) sky!

03 (A / The) world is round.

04 He plays (a / the) violin.

05 We eat (a / X) dinner at seven.

06 They play soccer in (a / the) morning.

07 The station is on (the / X) left.

08 She teaches (the / X) history.

09 They eat (the / X) lunch at noon.

10 They speak (the / X) English.

11 (A / The) moon shines at night.

12 My favorite sport is (the / X) basketball.

13 The sun rises in (X / the) east.

14 Jane has (a / X) cat. (A / The) cat is cute.

15 He has (a / the) book. (X / The) book is funny.

- sky 하늘
- round 둥근
- station 역
- teach 가르치다
- history 역사
- shine 빛나다
- at night 밤에
- rise 떠오르다
- cute 귀여운
- funny 재미있는, 웃기는

② 다음 빈칸에 알맞은 관사를 쓰세요. 필요 없으면 X표를 하세요.

정답 및 해설 p.11

01 We eat pizza for ___X___ lunch.

02 They play the piano in _________ afternoon.

03 My sister likes _________ history.

04 We learn _________ French.

05 Donovan has _________ breakfast at eight.

06 She has a car. _________ car is yellow.

07 The hospital is on _________ right.

08 Look at the clouds in _________ sky.

09 They live in _________ north of France.

10 _________ sun is very big.

11 He has a bike. _________ bike is on the corner.

12 Please, open _________ window.

13 My sister plays _________ flute at night.

14 The museum is in _________ Seoul.

15 Philip watches TV in _________ afternoon.

- French 프랑스어
- breakfast 아침식사
- hospital 병원
- cloud 구름
- on the corner 모퉁이에
- flute 플루트
- museum 박물관

Third Step 정관사가 있는 문장을 완성하기

다음 문장에 밑줄 친 부분을 바르게 고쳐 쓰세요.

정답 및 해설 p.11

01 My favorite subject is a music. music

02 We play the basketball at night.

03 My sister learns an English.

04 Airplanes fly in sky.

05 Jackson has a dinner at eight.

06 My sister has a pencil. A pencil is blue.

07 Cindy is a honest girl.

08 The train goes to a west.

09 My friends live in a north of Canada.

10 Many animals live on a earth.

11 He eats a bowl of soup in morning.

12 Please, close a window.

13 They play the volleyball every day.

14 We eat sandwiches for a lunch.

15 Look at a moon.

Words

- subject 과목
- airplane 비행기
- honest 정직한
- train 기차
- bowl 사발, 그릇
- close 닫다
- volleyball 배구
- sandwich 샌드위치

Writing Step

주어진 단어를 이용하여 문장을 완성하세요.
(필요하면 관사를 넣고, 명사 형태도 바꾸세요.)

정답 및 해설 p.11

- subway 지하철
- expensive 비싼
- jumping 뛰는 것
- interesting 재미있는
- country 나라
- picture 사진
- look at ~을 보다

01 나는 아침에 일찍 일어난다. (in, morning)

→ I get up early ______in the morning______.

02 우리는 지하철로 학교에 간다. (subway)

→ We go to school ________________.

03 세상에는 많은 동물들이 살고 있다. (live, in, world)

→ Many animals ________________.

04 그 문 좀 닫아주세요. (close, door)

→ Please ________________.

05 나의 아버지는 비싼 시계를 갖고 계시다. (expensive, watch)

→ My father has ________________.

06 나는 오후에 기타를 연주한다. (play, guitar)

→ I ________________ in the afternoon.

07 우리는 서울 동쪽에 산다. (live, in, east)

→ We ________________ of Seoul.

08 나는 고양이가 있다. 그 고양이는 점프를 잘한다. (cat)

→ I have a cat. ____________ is good at jumping.

09 나의 여동생은 재미있는 책을 읽고 있다. (interesting, book)

→ My sister is reading ________________.

10 그 창문 좀 열어 주시겠어요? (open, window)

→ Would you ________________?

11 하늘에는 많은 별들이 있다. (many stars, sky, in)

→ There are ________________.

12 책상 위의 사진을 보세요. (look at, picture)

→ Please, ________________ on the desk.

Final Step 다양한 관사의 쓰임을 정리하기

1 우리말과 의미가 같도록 빈칸에 알맞은 말을 쓰세요.

정답 및 해설 p.11

- practice 연습하다
- baseball 야구
- take a walk 산책하다
- take a shower 샤워하다
- hospital 병원
- stage 무대
- once 한 번
- actor 배우

01 We practice baseball for _____an hour_____.
우리는 한 시간 동안 야구 연습을 한다.

02 We take a walk ______________________.
우리는 오후에 산책을 한다.

03 The sun rises in ______________________.
태양은 동쪽에서 뜬다.

04 James is ______________________.
James는 선생님이다.

05 I have a computer. ______________________ is new.
나는 컴퓨터가 있다. 그 컴퓨터는 새것이다.

06 I take a shower ______________________.
나는 아침에 샤워를 한다.

07 The hospital is on ______________________.
병원은 왼쪽에 있다.

08 Close ______________________, please.
창문을 닫아 주세요.

09 He plays ______________________ on the stage.
그는 무대 위에서 피아노를 연주한다.

10 Birds fly in ______________________.
새들은 하늘을 난다.

11 We take a walk once ______________________.
우리는 하루에 한 번 산책을 한다.

12 My father is ______________________.
나의 아버지는 배우이시다.

❷ 다음 빈칸에 알맞은 관사를 괄호 안에서 골라 쓰세요.

정답 및 해설 p.11

01 Jessica is ___a___ doctor. (a / an)
Jessica는 의사이다.

02 I have three pencils and _______ pen. (a / an)
나는 연필 세 개와 펜 하나가 있다.

03 My father needs _______ car. (a / an)
나의 아버지는 자동차가 필요하다.

04 Please, open _______ book. (an / the)
그 책을 펴라.

05 My sister has a dog. _______ dog is very big. (A / The)
나의 여동생은 개가 있다. 그 개는 매우 크다.

06 A tiger is _______ animal. (a / an)
호랑이는 동물이다.

07 We eat pizza once _______ week. (a / the)
우리는 일주일에 한번 피자를 먹는다.

08 My mom is in _______ living room. (an / the)
나의 엄마는 거실에 계신다.

09 I play _______ piano after school. (a / the)
나는 방과 후에 피아노를 연주한다.

10 They work eight hours _______ day. (a / an)
그들은 하루에 8시간을 일한다.

11 He has _______ dog and two cats. (a / an)
그는 한 마리 개와 두 마리 고양이가 있다.

12 He has a lion. _______ lion eats meat. (An / The)
그는 사자가 있습니다. 그 사자는 고기를 먹습니다.

- doctor 의사
- need 필요하다
- big 큰
- living room 거실
- work 일하다
- lion 사자
- meat 고기

Exercise

15-16 Excellent 12-14 Good 9-11 Not bad 8 이하 Try Again

[1-3] 다음 중 잘못된 문장을 고르세요.

1 ① He is a dentist.
② Jane has a beautiful dress.
③ I have a slice of pizza.
④ She plays a piano.
⑤ We live on the earth.

1 dentist 치과의사
earth 지구

2 ① They play soccer after school.
② We need notebooks.
③ I learn Japanese.
④ I live in Seoul.
⑤ He plays the golf.

2 after school 방과 후에

3 ① He has dinner at eight.
② The post office is on the right.
③ The earth is round.
④ Jack is a honest man.
⑤ Please, close the window.

3 post office 우체국
earth 지구

4 **다음 중 빈칸에 들어갈 말이 순서대로 짝지어진 것을 고르세요.**

- An elephant is ________ very big animal.
- We play ________ violin every day.

① a - a ② a - the
③ the - a ④ the - the
⑤ the - 필요 없음

4 「a+형용사+셀 수 있는 단수 명사」 순으로 씁니다.

[5-7] 다음 중 빈칸에 들어갈 알맞은 말을 고르세요.

Note

5

We practice baseball for ________ hour.

① a
② an
③ the
④ 필요 없음
⑤ not

5 practice 연습하다

6

My sister has a pet. ________ pet is a cat.

① A
② An
③ The
④ 필요 없음
⑤ the

6 pet 애완동물

7

My favorite subject is ________ music.

① a
② an
③ the
④ 필요 없음
⑤ The

7 favorite 좋아하는
subject 과목

8 다음 중 빈칸에 a가 들어갈 수 <u>없는</u> 문장을 고르세요.

① He is ____________ lawyer.
② My sister is ______ student.
③ I have _______ sister.
④ Jack is ______ great pianist.
⑤ Please, close ______ door.

8 lawyer 변호사
close 닫다
pianist 피아니스트

Exercise

[9-10] 다음 중 빈칸에 들어갈 말이 나머지와 다른 것을 고르세요.

9
① Sam plays ______ piano.
② He speaks ______ English very well.
③ The sun rises in ______ east.
④ I take a walk in ______ morning.
⑤ Please, pass me ______ salt.

10
① I like ______ volleyball.
② He eats spaghetti for ______ lunch.
③ My father has ______ old car.
④ They speak ______ Chinese.
⑤ I like ______ history.

11 **다음 중 빈칸에 the가 들어갈 수 없는 문장을 고르세요.**

① Look at the stars in ______ sky.
② Please, close ______ door.
③ I play ______ tennis with my brother.
④ Many animals live on ______ earth.
⑤ The birds fly to ______ east.

12 **다음 중 빈칸에 알맞은 것을 고르세요.**

He has a ________ for lunch.

① egg ② orange
③ meat ④ hamburger
⑤ rice

Note

9 rise (해, 달 등이) 뜨다

10 Chinese 중국어
언어, 과목, 운동경기 앞에는 관사가 오지 않습니다.

11 star 별

12 셀 수 없는 명사의 쓰임을 생각하세요.

13 다음 중 어법상 어색하지 않은 문장을 고르세요.

① My sister lives in a China.
② We need a water
③ He has a yellow car.
④ His favorite sport is a tennis.
⑤ I know a interesting story.

14 다음 빈칸에 알맞은 말을 쓰세요.

(1) He has a car. ________ car is very old.

(2) Please, pass me ________ book.

(3) This is ________ expensive watch.

[15-16] 다음 어법상 잘못된 부분을 바르게 고쳐 쓰세요.

15

I study a science every day.
나는 매일 과학을 공부한다.

→ ____

16

We play the guitar in afternoon.
우리는 오후에 기타를 연주한다.

→ ____

Note

13 나라 이름 앞에는 관사 오지 않습니다.

14 old 오래된
pass 건네다
expensive 값비싼

15 science 과학

16 play 연주하다, 게임하다

Review Test Chapter 1-4

1 다음 괄호 안에서 알맞은 말을 고르세요. Chapter 2-3

01 Five (mans / men) are in the bookstore.

02 Jessica wears (jean / jeans).

03 They need new (scissor / scissors).

04 There are nine (goose / geese) in the farm.

05 My uncle wears black (glass / glasses).

06 The singer lives in (Canada / canada).

07 I need some (money / moneys).

08 My father needs new (shoe / shoes).

09 Jessica eats (bread / breads) in the morning.

10 I study (an English / English) on Sunday.

11 I play (soccer / the soccer) after school.

12 Jane has three (bottle / bottles) of water.

13 We need three (loafs / loaves) of meat.

14 Mike wants three (slice / slices) of cheese.

15 My father has a (bottle / bottles) of wine.

• bookstore 서점 • wear 입다 • farm 농장 • goose 거위

② 다음 빈칸에 알맞은 말을 쓰세요. Chapter 2-4

01 I want two bags of ___sugar___.
나는 설탕 두 부대를 원한다.

02 ______________ is a big country.
중국은 큰 나라이다.

03 I need two ______________ now.
나는 지금 칼 두 개가 필요하다.

04 David has nine ______________ on his farm.
David은 그의 농장에 양이 아홉 마리 있다.

05 There are many ______________ on the street.
거리에 많은 낙엽들이 있다.

06 He teaches ______________ at school.
그는 학교에서 역사를 가르친다.

07 There are two ______________ in the kitchen.
부엌에 쥐가 두 마리 있다.

08 Open ______________ door, please.
문 좀 열어주세요.

09 I want new ______________.
나는 새로운 바지를 원한다.

10 It is warm in ______________.
3월은 따뜻하다.

11 I have two computers. ______________ computers are old.
나는 두 대의 컴퓨터가 있다. 그 컴퓨터들은 오래되었다.

12 My sister wears ______________.
내 여동생은 안경을 쓴다.

· country 나라 · knife 칼 · leaf 낙엽 · street 거리 · history 역사 · kitchen 부엌

Review Test

③ 다음 빈칸에 알맞은 말을 쓰세요. Chapter 2-3

01 There are three ___children___ in the classroom.
교실에 세 명의 아이들이 있다.

02 Three ______________ are in the pond.
연못에 거위 세 마리가 있다.

03 I use two ______________.
나는 두 개의 카메라를 사용한다.

04 She eats two ______________ every day.
그녀는 매일 감자 두 개를 먹는다.

05 The store sells ______________.
그 상점은 전화기들을 판매한다.

06 Four ______________ are in the kitchen.
네 개의 의자가 부엌에 있다.

07 She wants a ______________ of water.
그녀는 물 한 잔을 원한다.

08 Annie needs a ______________ of advice.
Annie는 충고 한마디가 필요하다.

09 We use three ______________ of salt every day.
우리는 매일 소금 세 부대를 사용한다.

10 I need five ______________ of glass.
나는 유리 다섯 장이 필요하다.

11 There is a ______________ of meat in the freezer.
냉장고에 고기 한 덩어리가 있다.

12 My sister wears red ______________.
내 여동생은 빨간 양말을 신는다.

• classroom 교실 • pond 연못 • sell 팔다 • a piece of advice 충고 한마디 • salt 소금 • socks 양말

4 주어진 단어를 이용하여 문장을 완성하세요. Chapter 4

01 태양이 하늘에 있다. (in, sky)

→ The sun is ________ in the sky ________.

02 하루는 24시간이다. (day)

→ ________________ has twenty-four hours.

03 태양은 동쪽에서 떠오른다. (in, east)

→ The sun rises ________________.

04 그 서점은 오른쪽에 있다. (on, right)

→ The bookstore is ________________.

05 하늘을 보세요. (sky)

→ Look at ________________.

06 나는 아침에 밥 두 그릇을 먹는다. (two, bowl of, rice)

→ I eat ________________ in the morning.

07 그녀는 우유 두 잔을 원한다. (two, glass of, milk)

→ She wants ________________.

08 Kevin은 책이 한 권 있다. 그 책은 재미있다. (book)

→ Kevin has a book. ________________ is funny.

09 그녀와 나는 매일 피아노를 연주한다. (piano)

→ She and I play ________________ every day.

10 Susan은 초등학교 학생이다. (elementary, school)

→ Susan is ________________ student.

11 한국은 멋진 나라이다. (wonderful, country)

→ Korea is ________________.

12 문 좀 열어 주시겠어요? (open, door)

→ Would you ________________?

Words · rise (해 등) 뜨다 · funny 재미있는 · bookstore 서점 · elementary 초등의 · wonderful 멋진

Achievement Test Chapter 1-4

[1-2] 다음 중 명사의 단수형-복수형이 잘못된 것을 고르세요.

1 ① bus - buses ② foot - foots
③ book - books ④ child - children
⑤ sheep - sheep

2 ① mouse - mice ② tooth - teeth
③ leaf - leaves ④ piano - pianoes
⑤ ox - oxen

[3-4] 다음 중 빈칸에 들어갈 말이 다른 것을 고르세요.

3 ① I have _______ son.
② He is _______ lawyer.
③ Susie needs _______ new bike.
④ She wants _______ apple.
⑤ I am _______ singer.

4 ① This is _______ orange.
② It's _______ egg.
③ It is _______ interesting book.
④ He has _______ old car.
⑤ She has _______ cell phone.

5 다음 중 빈칸에 'a'가 필요 없는 것을 고르세요.

① He needs _______ new table.
② She wants _______ computer.
③ He has _______ two uncles.
④ It is _______ nice car.
⑤ I eat _______ hamburger.

[6-7] 다음 중 빈칸에 알맞지 않은 것을 고르세요.

6

This is _____________.

① milk ② cheese
③ money ④ baby
⑤ rice

7

Jack needs _____________.

① water ② meat
③ salt ④ air
⑤ book

8 다음 중 복수형에 ies가 필요한 단어를 고르세요.

① baby ② toy
③ boy ④ day
⑤ monkey

9 다음 중 빈칸에 들어갈 말이 순서대로 짝지어진 것을 고르세요.

> • John is _______ honest boy.
> • He plays _______ piano every day.

① a - a ② an - the
③ the - a ④ the - the
⑤ the - 필요 없음

[10-12] 다음 중 잘못된 문장을 고르세요.

10 ① He needs a book.
② They are students.
③ These are my dogs.
④ I need scissor.
⑤ I wear short pants.

11 ① They play baseball after school.
② My sister needs a notebook.
③ I learn English.
④ He plays piano after school.
⑤ She lives in Busan.

12 ① My mom has two pieces of pizza.
② I eat two bowls of soups for lunch.
③ We need two bags of rice.
④ Sam drinks a glass of milk every day.
⑤ She drinks a cup of tea.

13 다음 중 셀 수 없는 명사가 아닌 것을 고르세요.

① music ② Korea
③ oil ④ piano
⑤ friendship

[14-16] 다음 중 빈칸에 알맞은 말을 고르세요.

14

> I take a walk for _______ hour.

① a ② an
③ the ④ 필요 없음
⑤ not

15

> My brother has a watch. _______ watch is black.

① A ② An
③ The ④ 필요 없음
⑤ the

16

> Jane wants two _______ of cold water.

① slices ② loaves
③ bottles ④ pieces
⑤ bags

17 다음 중 복수형태가 다른 것을 고르세요.

① watch ② box
③ potato ④ computer
⑤ church

18 다음 중 복수로 사용될 수 있는 단어를 고르세요.

① coffee ② money
③ water ④ meat
⑤ deer

[19-20] 다음 중 종류가 같은 단어끼리 짝지어진 것을 고르세요.

19 ① she — run
② girl — hungry
③ eat — are
④ computer — on
⑤ book — and

20 ① book — is
② cold — at
③ honest — happy
④ this — but
⑤ easy — hardly

21 다음 중 밑줄 친 부분이 잘못된 것을 고르세요.

① I drink a cup of coffee.
② Put three glasses of milk into it.
③ Ann wants a piece of pizza.
④ He buys two loaf of meat.
⑤ Lynda needs two bags of salt.

22 다음 중 밑줄 친 단어의 종류가 다른 것을 고르세요.

① She is smart.
② They are beautiful.
③ I like baseball.
④ The baby is cute.
⑤ My brother is handsome.

23 다음 중 부정관사 an이 들어 갈 수 있는 문장의 개수를 고르세요.

- She is ______ nurse.
- This is ______ interesting story.
- He is my ______ husband.
- He plays the piano for ______ hour.

① 1개 ② 2개 ③ 3개
④ 4개 ⑤ 없음

24 다음 단어의 복수형을 쓰세요.

party –	shelf –
city –	tomato –
ox –	child –

[25-27] 다음 어법상 잘못된 부분을 바르게 고쳐 쓰세요.

25

They study a math every day.
그들은 매일 수학을 공부한다.

→ ______________________

26

There are three goose in the lake.
호수에 거위가 세 마리 있다.

→ ______________________

27

She drinks milks every morning.
그녀는 매일 아침 우유를 마신다.

→ ______________________

[28-30] 빈칸에 알맞은 말을 쓰세요.

28

He needs a ________ of paper.
그는 종이 한 장이 필요하다.

→ ______________________

29

I need eight ________.
나는 감자가 여덟 개 필요하다.

→ ______________________

30

We play the guitar in ________ afternoon. 우리는 오후에 기타를 연주한다.

→ ______________________

27-30 Excellent **22-26** Good **16-21** Not bad **15 이하** Try Again

자주 사용하는 교실 영어 I

1. Raise your hands. 손을 드세요.
2. You are late again. 또 늦었구나.
3. Come here to the front. 앞으로 나오세요.
4. Where were we? 지난번에 어디까지 했지요?
5. Go back to your seat. 자리로 돌아가세요.
6. Pass these to the back. 이것을 뒤로 넘기세요.
7. Take out your books. 책을 꺼내세요.
8. Turn to the next page. 다음 쪽으로 넘기세요.
9. Time is up. 시간 다 되었어요.
10. Listen carefully, please. 잘 들어보세요.
11. Look at the blackboard. 칠판을 보세요.
12. Close your eyes. 눈을 감으세요.
13. Repeat after me. 나를 따라 말하세요.
14. Speak up! 큰 소리로 말하세요.
15. Do you understand? 이해되나요?

대명사 I

Word Check

□ apartment	□ building	□ busy	□ classmate	□ classroom
□ clean	□ delicious	□ diligent	□ dirty	□ eagle
□ fruit	□ lawyer	□ leaf	□ movie	□ musician
□ newspaper	□ parking lot	□ policeman	□ popular	□ zebra

인칭대명사

대명사는 사람, 사물, 동물 등의 명사를 대신해서 쓰는 말입니다.
대명사는 인칭대명사, 지시대명사 등이 있습니다.

1인칭 단수	나 (말하는 사람)	1인칭 복수	'나'를 포함한 여러 명 = 우리
2인칭 단수	너, 당신 (듣는 사람)	2인칭 복수	'너'를 포함한 여러 명 = 너희들, 여러분
3인칭 단수	'나'와 '너'를 제외한 남자 한 명, 여자 한 명, 사물이나 동물 하나	3인칭 복수	'나'와 '너'를 제외한 사람 여러 명, 사물이나 동물 여럿

1 인칭대명사: 인칭대명사는 주로 사람을 대신 나타내는 말입니다.

인칭	단수(하나)		복수(둘 이상)	
1인칭	I (나)	am	we (우리)	are
2인칭	you (너)	are	you (너희들)	
3인칭	he (그) she (그녀) it (그것) – 사물을 나타낸다.	is	they (그들, 그것들) *사물을 나타낼 수도 있다.	

2 인칭대명사의 쓰임: 앞에 나온 명사를 뒤에 다시 언급할 때 대명사를 사용합니다.

Tom is a teacher. **He** is diligent. Tom은 선생님이다. 그는 부지런하다.	Tom → **He**
My sister is a student. **She** is smart. 내 여동생은 학생이다. 그녀는 영리하다.	My sister → **She**
A rabbit is in the room. **It** is cute. 토끼 한 마리가 방에 있다. 그것은 귀엽다.	A rabbit → **It**
Amy and I like fruits. **We** eat apples for breakfast. Amy와 나는 과일을 좋아한다. 우리는 아침식사로 사과를 먹는다.	Amy and I → **We**
You and Tom are doctors. **You** are kind. 너와 Tom은 의사이다. 너희들은 친절하다.	You and Tom → **You**
Jeff and Jack are honest. **They** are my friends. Jeff와 Jack은 정직하다. 그들은 나의 친구다.	Jeff and Jack → **They**

plus
자주 사용하는 영어 이름
남자 – Jack, John, Smith, Tom, Mike 등
여자 – Julie, Sara, Jessica, Lynda 등

• diligent 부지런한 • smart 영리한 • cute 귀여운 • fruit 과일 • kind 친절한 • honest 정직한

Warm up

다음 밑줄 친 단어의 뜻을 쓰고, 단수, 복수를 구별하세요.

정답 및 해설 p.14

01	I am a student.	나는	(1, 2, 3)인칭 (단수, 복수)
02	They are twins.		(1, 2, 3)인칭 (단수, 복수)
03	She likes fruits.		(1, 2, 3)인칭 (단수, 복수)
04	It is a book.		(1, 2, 3)인칭 (단수, 복수)
05	Jack is my friend.		(1, 2, 3)인칭 (단수, 복수)
06	Jack and I play the piano.		(1, 2, 3)인칭 (단수, 복수)
07	We have dinner at seven.		(1, 2, 3)인칭 (단수, 복수)
08	You and Jane like baseball.		(1, 2, 3)인칭 (단수, 복수)
09	A dog has four legs.		(1, 2, 3)인칭 (단수, 복수)
10	The apples are fresh.		(1, 2, 3)인칭 (단수, 복수)
11	You are beautiful. (복수)		(1, 2, 3)인칭 (단수, 복수)
12	Judy and Cathy are very tall.		(1, 2, 3)인칭 (단수, 복수)
13	The house has a big garden.		(1, 2, 3)인칭 (단수, 복수)
14	Korea is a beautiful country.		(1, 2, 3)인칭 (단수, 복수)
15	He needs two sheets of paper.		(1, 2, 3)인칭 (단수, 복수)

· twin 쌍둥이 · have 먹다 · fresh 신선한 · garden 정원

First Step 인칭대명사의 쓰임을 확인하기

1 다음 괄호 안에서 알맞은 말을 고르세요.

정답 및 해설 p.15

- singer 가수
- eagle 독수리
- musician 음악가

01 (He / We) are students.

02 (They / Jack) are twins.

03 (She / Judy and Cyndy) are my friends.

04 (It / They) is a cat.

05 (Jack / These) is my friend.

06 (Jack and I / Susie) is a doctor.

07 (We / It) is a potato.

08 (He and I / She) are teachers.

09 (She / They) is a singer.

10 (He / It) is my friend, Tom.

11 (They / It) are eagles.

12 (Judy and Cathy / This) are very beautiful.

13 (It / They) are my dogs.

14 (It / She) is a computer.

15 (She / It) is a musician.

2 다음 영어를 보고 알맞은 인칭대명사를 쓰세요.

정답 및 해설 p.15

01	you and I	→	we
02	You and Tom	→	
03	brothers	→	
04	my cat	→	
05	a rabbit	→	
06	Tom and he	→	
07	a school	→	
08	computers	→	
09	your mother	→	
10	his father	→	
11	Mr. Kim	→	
12	cars	→	
13	she and I	→	
14	Tom and Jane	→	
15	You and Jane	→	

Words

- rabbit 토끼
- Mr. (남자의 성 앞에 붙여) ~씨, ~군

Second Step

인칭대명사를 직접 써보기

1 우리말에 맞게 빈칸에 알맞은 대명사를 쓰세요.

정답 및 해설 p.15

- tree 나무
- nurse 간호사
- lawyer 변호사
- bear 곰
- Korean 한국인

01 ___She___ is a student.
그녀는 학생이다.

02 __________ are trees.
그것들은 나무들이다.

03 __________ are beautiful.
그들은 아름답다.

04 __________ are doctors.
우리는 의사들이다.

05 __________ is very tall.
그는 키가 매우 크다.

06 __________ is from Canada.
그는 캐나다에서 왔다.

07 __________ am a nurse.
나는 간호사이다.

08 __________ are a lawyer.
너는 변호사이다.

09 __________ are good students.
너희들은 좋은 학생들이다.

10 __________ is a bear.
그것은 곰이다.

11 __________ are Koreans.
우리는 한국사람이다.

12 __________ are my cats.
그것들은 내 고양이들이다.

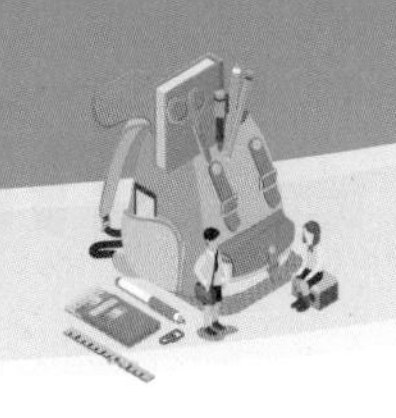

② 다음 빈칸에 알맞은 인칭대명사를 쓰세요.

정답 및 해설 p.15

01 Tom is in a classroom. He is a student.

02 My sister is a student. ______ is pretty.

03 Jack and John are handsome. ______ are twins.

04 Korea is a beautiful country. ______ is in Asia.

05 You and Jane are kind. ______ are good girls.

06 He and she are actors. ______ are famous actors.

07 He and I are tall. ______ like basketball.

08 Sam and Jack are brothers. ______ are diligent.

09 My father is in a kitchen. ______ is a cook.

10 My uncle is a doctor. ______ is busy.

11 Eric is a policeman. ______ is brave.

12 You and James are from America. ______ are my friends.

13 My sister is a teacher. ______ teaches English.

14 The car is blue. ______ has four wheels.

15 Three apples are in a basket. ______ are fresh.

- classroom 교실
- pretty 예쁜
- twin 쌍둥이
- country 국가
- kind 친절한
- famous 유명한
- brave 용감한
- cook 요리사
- busy 바쁜
- policeman 경찰관
- wheel 바퀴
- basket 바구니

Third Step 인칭대명사 문장을 제대로 완성하기

다음 밑줄 친 부분을 바르게 고쳐 쓰세요.

정답 및 해설 p.15

01 Jane is a student. He goes to school by bus. She

02 My brother plays basketball. She is tall.

03 Jessica and John are kind. We are my friends.

04 My sister learns Japanese. He is smart.

05 Jane and I are nurses. You love our job.

06 He and she are teachers. We are kind.

07 He and I are brothers. They like pizza.

08 The new house is beautiful. This has a big door.

09 Johnson is in the gym. It is my friend.

10 The food is a spaghetti. He is very delicious.

11 The museum is in Seoul. She is very big.

12 You and Tom are my friends. We are diligent

13 My father is a business man. She is busy.

14 John is an actor. It is handsome.

15 Tom and Jane play soccer. We are good players.

Words

- by bus 버스를 타고
- kind 친절한
- smart 영리한
- job 일, 직업
- gym 체육관
- delicious 맛있는
- museum 박물관
- big 커다란
- busy 바쁜
- actor 배우
- handsome 잘생긴

Writing Step

우리말과 일치하도록 문장을 완성하세요.

정답 및 해설 p.16

- lawyer 변호사
- math 수학
- singer 가수
- famous 유명한
- expensive 비싼
- rose 장미
- wash the dishes 설거지 하다

01 나의 삼촌은 변호사이다. 그는 바쁘다.

→ My uncle is a lawyer. ___He is___ busy.

02 내 여동생은 10살이다. 그녀는 학생이다.

→ My sister is ten years old. ____________ a student.

03 Susie와 나는 키가 크다. 우리는 야구선수들이다.

→ Susie and I are tall. ____________ baseball players.

04 나의 이모는 수학을 가르치신다. 그녀는 친절하시다.

→ My aunt teaches math. ____________ kind.

05 Tom과 Jane은 가수이다. 그들은 한국에서 유명하다.

→ Tom and Jane are singers. __________ famous in Korea.

06 그 컴퓨터는 새것이다. 그것은 비싸다.

→ The computer is new. ____________ expensive.

07 David은 나의 남동생이다. 그는 매우 영리하다.

→ David is my brother. ____________ very smart.

08 그 동물들은 곰이다. 그들은 매우 크다.

→ The animals are bears. ____________ very big.

09 그 꽃은 장미이다. 그것은 아름답다.

→ The flower is a rose. ____________ beautiful.

10 Jane과 나는 설거지를 한다. 우리는 자매이다.

→ Jane and I wash the dishes. ____________ sisters.

11 Jack과 Jane은 배우이다. 그들은 캐나다에서 왔다.

→ Jack and Jane are actors. ____________ from Canada.

12 Smith는 농구선수다. 그는 키가 매우 크다.

→ Smith is a basketball player. ____________ very tall.

지시대명사와 지시형용사

지시대명사는 혼자서 쓰이지만 지시형용사는 명사와 함께 쓰입니다.

1 지시대명사

	가까이 있는 것을 가리킬 때			멀리 있는 것을 가리킬 때		
단수	this	이것, 이 사람	is	that	저것, 저 사람	is
복수	these	이것들, 이 사람들	are	those	저것들, 저 사람들	are

This is a book. 이것은 책이다.
This is my friend, Jane. 이 사람은 나의 친구, Jane이다.
These are apples. 이것들은 사과들이다.

That is my school. 저것은 나의 학교이다.
That is my teacher, Mr. Smith. 저분은 나의 선생님 Smith 씨이시다.
Those are donkeys. 저것들은 당나귀들이다.

I like **that**. 나는 저것을 좋아한다. (목적어 역할)

2 지시형용사

지시형용사 this(these)와 that(those)은 뒤에 나오는 명사를 꾸며주는 역할을 합니다.

가까이 있는 것을 가리킬 때			멀리 있는 것을 가리킬 때		
this + 단수명사	이 ~	is	that + 단수명사	저 ~	is
these + 복수명사	이 ~들	are	those + 복수명사	저 ~들	are

This flower is a rose. 이 꽃은 장미이다.
This boy is my son. 이 소년은 나의 아들이다.

That man is my uncle. 저 남자는 나의 삼촌이시다.
Those girls are my students. 저 소녀들은 나의 학생들이다.

I like **that** girl. 나는 저 소녀를 좋아한다. (목적어 역할)
I like **those** vegetables. 나는 저 야채들을 좋아한다. (목적어 역할)

plus
지시형용사를 사용하는 경우 관사를 함께 사용하지 않습니다.
a this flower (x) a that boy (x)

· teacher 선생님 · donkey 당나귀

Warm up

 다음 괄호 안에서 알맞은 말을 고르세요.

정답 및 해설 p.16

Words

- cousin 사촌
- famous 유명한
- vegetable 야채
- fresh 신선한
- oven 오븐
- toy 장난감
- post office 우체국
- mouse 쥐

01 (This / These) is a cat.

02 (These / This) are my cousins.

03 (She / They) are my brothers.

04 (It / These) are cookies.

05 (These / This) actors (is / are) famous in Asia.

06 (That / Those) boy is smart.

07 (These / That) vegetables (is / are) fresh.

08 (They / This) is my friend, James.

09 (They / It) is an oven.

10 (That / These) is my uncle, John.

11 (That / Those) are his toys.

12 (That / He) is a post office.

13 (This / Those) are my children.

14 Those (is / are) my pencils.

15 (It / They) are mice.

First Step 지시대명사와 지시형용사를 확인하기

1 다음 빈칸에 알맞은 우리말을 쓰세요.

정답 및 해설 p.16

01 She is a teacher. ______그녀는______ 선생님이다.

02 He plays basketball. ____________ 농구를 한다.

03 I teach these students. 나는 ____________ 가르친다.

04 That is Mr. Johnson. ____________ Johnson 씨이시다.

05 It is a tree. ____________ 나무이다.

06 My parents want this house. 나의 부모님은 ____________ 원하신다.

07 We are hungry. ____________ 배가 고프다.

08 These flowers are beautiful. ____________ 아름답다.

09 These are my cats. ____________ 나의 고양이들이다.

10 It is a tiger. ____________ 호랑이다.

11 That man is from Korea. ____________ 한국에서 왔다.

12 Those animals are from Africa. ____________ 아프리카에서 왔다.

13 He is a policeman. ____________ 경찰관이다.

14 This robot is very smart. ____________ 매우 영리하다.

15 I like this computer game. 나는 ____________ 좋아한다.

Words

- basketball 농구
- parent 부모
- hungry 배고픈
- flower 꽃
- tiger 호랑이
- animal 동물
- policeman 경찰관
- robot 로봇

2 다음 보기의 단어를 이용해서 빈칸에 알맞은 말을 쓰세요. (중복 사용 가능)

정답 및 해설 p.16

This　　That　　These　　Those

01 ______This______ is a computer.
이것은 컴퓨터이다.

02 ____________ is a map.
저것은 지도이다.

03 ____________ are umbrellas.
이것들은 우산들이다.

04 ____________ are clouds.
저것들은 구름들이다.

05 ____________ animals are very fast.
이 동물들은 매우 빠르다.

06 ____________ man is my father.
저 남자는 나의 아버지이시다.

07 ____________ is my mother.
저분은 나의 어머니이시다.

08 ____________ watch is new.
이 시계는 새것이다.

09 ____________ is a horse.
저것은 말이다.

10 ____________ is Mr. Johnson.
이분은 Johnson 씨이시다.

11 ____________ students are from Canada.
이 학생들은 캐나다에서 왔다.

12 ____________ is my bag.
저것은 나의 가방이다.

Words

- map 지도
- umbrella 우산
- cloud 구름
- fast 빠른
- horse 말
- watch 시계

Second Step

지시대명사와 지시형용사 문장 완성하기

1 다음 밑줄 친 부분을 우리말과 일치하도록 바르게 고쳐 쓰세요.

정답 및 해설 p.16

01 <u>This</u> is my history teacher. — That
저분은 나의 역사선생님이시다.

02 <u>That</u> horses are young.
저 말들은 새끼들이다.

03 <u>This</u> is my bag.
저것은 나의 가방이다.

04 These <u>flower</u> are lilies.
이 꽃들은 백합이다.

05 <u>Those</u> are cows.
이것들은 소들이다.

06 <u>Those</u> are basketball players.
우리들은 농구선수들이다.

07 My office is in this <u>buildings</u>.
나의 사무실은 이 건물 안에 있다.

08 <u>That</u> is my computer.
이것은 나의 컴퓨터이다.

09 I like <u>this</u> movies.
나는 이 영화들을 좋아한다.

10 <u>This</u> is Mr. Smith.
저분은 Smith 씨이다.

11 <u>Those</u> are my uncles.
이분들은 나의 삼촌들이시다.

12 I want <u>this</u> flowers.
나는 이 꽃들을 원한다.

Words

- history 역사
- bag 가방
- lily 백합
- cow 소
- building 건물
- movie 영화
- uncle 삼촌

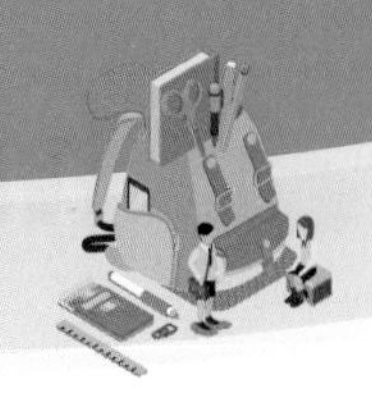

② 다음 밑줄 친 부분을 우리말과 일치하도록 바르게 고쳐 쓰세요.

정답 및 해설 p.16

01 These is my dog. This
이것은 나의 개다.

02 I want this shirts.
나는 이 셔츠들을 원한다.

03 This are my parents.
저분들은 나의 부모님이시다.

04 Those penguin are cute.
저 펭귄들은 귀엽다.

05 I like those actor.
나는 저 배우를 좋아한다.

06 This are a newspaper.
이것은 신문이다.

07 This are vegetables.
이것들은 채소들이다.

08 Those books is very interesting.
저 책들은 매우 재미있다.

09 These room are very clean.
이 방들은 매우 깨끗하다.

10 That fruits are oranges.
저 과일들은 오렌지이다.

11 These is my favorite colors.
이것들은 내가 좋아하는 색들이다.

12 I want those desk.
나는 저 책상들을 원한다.

Words

- shirt 셔츠
- penguin 펭귄
- cute 귀여운
- newspaper 신문
- vegetable 야채
- interesting 재미있는
- clean 깨끗한

Third Step 지시대명사와 지시형용사 문장 이해하기

다음 영어를 우리말로 쓰세요.

정답 및 해설 p.16

01 These are my notebooks.

→ 이것들은 나의 공책들이다.

02 This is my mother.

→ ________________

03 These sandwiches are delicious.

→ ________________

04 They are my classmates.

→ ________________

05 These shoes are very dirty.

→ ________________

06 These are my favorite toys.

→ ________________

07 Those mountains are very high.

→ ________________

08 Those are roses.

→ ________________

09 My friends like this cheese.

→ ________________

10 These fruits are very sweet.

→ ________________

11 Those are my notebooks.

→ ________________

12 These women are from Japan.

→ ________________

- notebook 공책
- delicious 맛있는
- classmate 반 친구
- dirty 더러운
- favorite 좋아하는
- mountain 산
- high 높은
- rose 장미
- sweet 달콤한

Writing Step

주어진 단어를 이용하여 문장을 완성하세요. (필요하면 단어를 추가하거나 변경하세요.)

정답 및 해설 p.17

- puppy 강아지
- grass 풀
- sad 슬픈
- sweet 달콤한
- building 빌딩
- popular 인기 있는
- brave 용감한

01 이 책은 매우 웃기다. (book, is)

→ ______This book is______ very funny.

02 저것들은 나의 강아지들이다. (are)

→ ______________________ my puppies.

03 저 동물들은 풀을 먹는다. (animal, those)

→ ______________________ eat grass.

04 그녀는 이 색들을 좋아한다. (colors)

→ She likes ______________________.

05 이 영화는 매우 슬프다. (movie, is)

→ ______________________ very sad.

06 이것들은 달콤한 오렌지들이다. (are)

→ ______________________ sweet oranges.

07 저 꽃들을 보아라. (flower, those)

→ Look at ______________________.

08 그들은 저 건물 안에 있다. (building)

→ They are in ______________________.

09 이 노래는 중국에서 매우 인기가 있다. (song, is)

→ ______________________ very popular in China.

10 이분들은 용감한 경찰들이다. (are)

→ ______________________ brave policemen.

11 저것은 나의 집이다. (is)

→ ______________________ my house.

12 이 컴퓨터는 새것이다. (computer)

→ ______________________ is new.

Final Step 지시대명사와 지시형용사 최종 점검하기

1 우리말에 맞게 빈칸에 알맞은 말을 쓰세요.

정답 및 해설 p.17

- Korean food 한국음식
- Korean 한국인
- hungry 배고픈
- leaf 나뭇잎
- dentist 치과의사

01 ___She___ is a soccer player.
그녀는 축구선수이다.

02 ________ like Korean food.
우리는 한국음식을 좋아한다.

03 ________ are Korean.
당신은 한국사람이다.

04 ________ is my bag.
그것은 나의 가방이다.

05 ________ is hungry now.
그는 지금 배가 고프다.

06 ________ is my English teacher.
이분은 나의 영어선생님이시다.

07 ________ leaves are red.
이 나뭇잎들은 빨간색이다.

08 I know ________ women.
나는 저 여성들을 알고 있다.

09 ________ man is a dentist.
저 남자는 치과의사이다.

10 ________ is my house.
저것은 나의 집이다.

11 ________ shoes are old.
이 신발들은 낡았다.

12 I teach ________ students.
나는 저 학생들을 가르친다.

❷ 다음 주어진 단어를 골라 빈칸에 쓰세요.

정답 및 해설 p.17

01 ___He___ is my father. (He / She)

02 ________ puppies are black. (Those / This)

03 ________ are my new shoes. (These / That)

04 ________ is my kitten. (Those / This)

05 ________ house is very big. (That / Those)

06 ________ are his cars. (That / Those)

07 I want ________ book. (that / these)

08 He lives in ________ apartment. (this / those)

09 ________ is a delicious cake. (It / They)

10 ________ animal is a zebra. (That / These)

11 ________ are my new glasses. (This / These)

12 ________ is my brother, John. (This / These)

13 ________ building has a parking lot. (These / That)

14 ________ oranges are very sweet. (This / Those)

15 ________ are famous singers. (It / They)

- puppy 강아지
- kitten 새끼 고양이
- apartment 아파트
- delicious 맛있는
- zebra 얼룩말
- parking lot 주차장
- sweet 달콤한
- famous 유명한

Exercise

15-16 Excellent 12-14 Good 9-11 Not bad 8 이하 Try Again

1 **다음 중 연결이 잘못된 것을 고르세요.**

① my sister → she
② my father → he
③ you and I → we
④ you and Jane → they
⑤ John and Jane → they

1 you나 I를 포함한 대명사를 생각해보세요.

[2-4] 다음 중 빈칸에 들어갈 알맞은 말을 고르세요.

2

_____________ are my friends.
이들은 나의 친구들이다.

① She ② This ③ These
④ It ⑤ Those

2 be동사의 형태를 보세요.

3

_____________ are actors.
그들은 배우들이다.

① She ② You ③ We
④ These ⑤ They

3 actor 배우

4

_____________ is my mother.
저분은 나의 어머니이시다.

① This ② That ③ These
④ Those ⑤ These

4 this 이것, 이분
that 저것, 저분

[5-7] 다음 중 밑줄 친 부분을 인칭대명사로 바르게 바꾼 것을 고르세요.

Note

5

<u>Jack and Tom</u> are my friends.

① She ② You ③ We
④ They ⑤ These

5 friend 친구

6

<u>Nick and I</u> are students.

① She ② You ③ We
④ They ⑤ These

6 1인칭 복수의 형태를 기억하세요.

7

<u>You and Tom</u> are smart.

① She ② You ③ We
④ They ⑤ These

7 2인칭 복수의 형태를 기억하세요.

8 다음 중 해석을 <u>잘못한</u> 것을 고르세요.

① These are roses. 이것들은 장미이다.
② Those are my dogs. 저것은 나의 개이다.
③ This is Mr. Smith. 이분은 Smith 씨이다.
④ They are fresh. 그것들은 신선하다.
⑤ These men are from Africa. 이 사람들은 아프리카에서 왔다.

9 다음 중 단수형과 복수형의 연결이 잘못된 것을 고르세요.

① This - These ② That - Those
③ fish - fish ④ You - You
⑤ I - They

Note

[10-11] 다음 중 빈칸에 들어갈 알맞은 말을 고르세요.

10

The food is pizza. ____________ is delicious.

① She ② This ③ These
④ It ⑤ Those

10 delicious 맛있는

11

Jack and I are fire fighters. ____________ are busy.

① She ② You ③ We
④ They ⑤ These

11 fire fighter 소방관

12 다음 중 밑줄 친 부분의 쓰임이 다른 것을 고르세요.

① <u>These</u> are my cousins.
② <u>These</u> are my pencils.
③ <u>These</u> are my friends
④ <u>These</u> are my uncles.
⑤ <u>These</u> are my teachers.

12 this의 복수 these는 사물과 사람을 대신해 사용합니다.

[13-14] 다음 중 빈칸에 알맞지 않은 것을 고르세요.

Note

13

_______________ are mine.

① These ② Those ③ They
④ It ⑤ These pets

14

_______________ is very kind.

① We ② My friend ③ He
④ She ⑤ The girl

14 be동사가 is라는 것을 생각하세요.

[15-16] 다음 빈칸에 알맞은 말을 쓰세요.

15

Tom and John are cousins. _______________ are my friends.

→ ____________________

15 cousin 사촌

16

You and she are fire fighters. _______________ are brave.

→ ____________________

16 brave 용감한

자주 사용하는 교실 영어 Ⅱ

1. Please speak in English. 영어로 말하세요.
2. How do you pronounce this word? 이 단어 어떻게 발음하니?
3. Could you move back a little? 좀 뒤로 갈래?
4. Sit straight. 똑바로 앉으세요.
5. Move your desks forward. 책상을 앞으로 이동하세요.
6. Would you clean the blackboard? 칠판 좀 닦을래?
7. Where is your textbook? 교과서는 어디에 있니?
8. Put your homework on your desk. 숙제를 책상 위에 올려놓아라.
9. Open your books to page 20. 20쪽을 펴세요.
10. Close your books. 책을 덮으세요.
11. Are you finished? 다 했어요?
12. Let's review the last lesson. 지난 수업 복습을 합시다.
13. Let's check the answers. 답을 확인해봅시다.
14. What is it in English? 그것이 영어로 뭐죠?
15. One more time. 한 번 더해 보세요.

대명사 Ⅱ

Word Check

□ always	□ believe	□ culture	□ drink	□ famous
□ favorite	□ food	□ glasses	□ hobby	□ hometown
□ horse	□ invite	□ market	□ math	□ roof
□ science	□ sometimes	□ stamp	□ sweater	□ wash

대명사의 격변화와 역할

인칭대명사는 문장에서 역할에 따라 주격, 목적격, 소유격, 소유대명사로 구분됩니다.

1 인칭대명사의 격변화 - 주격, 목적격

	주격		목적격	
1인칭 단수	I	나는	me	나를
1인칭 복수	we	우리는	us	우리를
2인칭 단수	you	너는	you	너를
2인칭 복수	you	너희들은	you	너희들을
3인칭 단수	he	그는	him	그를
	she	그녀는	her	그녀를
	it	그것은	it	그것을
3인칭 복수	they	그(것)들은	them	그(것)들을

2 인칭대명사의 역할

1) 주격: 문장에서 주어의 역할을 하며 '~은', '~는', '~이', '~가'로 해석합니다.

You are a good teacher. 너는 좋은 선생님이다. (2인칭 단수)
It is a cucumber. 그것은 오이이다. (3인칭 단수)
They are students. 그들은 학생이다. (3인칭 복수)

plus 1
전치사 다음에도 목적격이 올 수 있습니다.
I play **with** him.
나는 그와 함께 논다.

2) 목적격: 동사 뒤에서 목적어 역할을 하며 '~을', '~를', '~에게'로 해석합니다.

Steve likes **him.** Steve는 그를 좋아한다.
He loves **them.** 그는 그들을 사랑한다.

plus 2
목적어로 쓰인 명사를 인칭대명사로 바꿀 수 있습니다.
I have **friends**. I love **them**. 나는 친구들이 있다. 나는 그들을 사랑한다.
She knows **Tom and me**. She likes **us**.
그녀는 Tom과 나를 알고 있다. 그녀는 우리를 좋아한다.

3 지시대명사의 격

주격	목적격
This is my book. **이것은** 나의 책이다. **That** is my aunt. **저분은** 나의 숙모이다. **These** are my books. **이것들은** 내 책들이다.	I like **this.** 나는 **이것을** 좋아한다. I want **these.** 나는 **이것들을** 원한다. I want **those.** 나는 **저것들을** 원한다.

1 다음 빈칸에 알맞은 말을 쓰세요.

정답 및 해설 p.17

	주격		목적격	
1인칭 단수	I	나는		나를
1인칭 복수		우리들은	us	
2인칭 단수	you			너를
2인칭 복수		너희들은	you	너희들을
3인칭 단수	he			그를
		그녀는	her	
	it			그것을
3인칭 복수	they			그(것)들을

2 다음 빈칸에 알맞은 말을 쓰세요.

01 I 나는

02 he

03 they

04 she

05 it (주격)

06 we

07 me 나를

08 him

09 them

10 her

11 it (목적격)

12 us

· cucumber 오이 · friend 친구

First Step 대명사의 격변화 확인하기

1 다음 괄호 안에서 알맞은 말을 고르세요.

정답 및 해설 p.18

- cell phone 휴대폰
- movie 영화
- actor 배우
- delicious 맛있는
- twin 쌍둥이
- favorite 좋아하는

01 (I / You / She) is a doctor.

02 (It / They / We) is my cell phone.

03 (Those / This) are my books.

04 We like (his / he / him).

05 (They / It / He) are movie actors.

06 I like (they / their / them).

07 I know (your / his / her).

08 (He / She / You) are so beautiful.

09 They want (it / they / she).

10 They have (she / he / these).

11 Jack teaches (our / us / they).

12 (He / She / They) are delicious cookies.

13 (It / They / He) are twins.

14 (They / You / He) is a good student.

15 (It / They / He) is my favorite color.

2 다음 괄호 안에서 알맞은 말을 모두 고르세요.

정답 및 해설 p.18

01 (I / You / They) are soccer players.

02 I love (he / him / it).

03 (Those / This / That) are his letters.

04 We like (she / her / this).

05 (They / It / He) are popular in China.

06 His parents invite (they / me / them) on Thanksgiving Day.

07 They buy (we / them / it) at a market.

08 (He / They / You) are so sleepy now.

09 Susie needs (it / you / she).

10 Mr. Clark reads (it / she / those).

11 Sara teaches (me / her / they) English.

12 (He / These / They) are my favorite pictures.

13 (It / They / He) is my car.

14 They like (it / those / I) very much.

15 She meets (him / us / he) in the office.

- letter 편지
- popular 인기 있는
- invite 초대하다
- Thanksgiving Day 추수감사절
- market 시장
- sleepy 졸린
- picture 사진
- very much 매우 많이
- work with ~와 일을 하다
- office 사무실

Second Step

대명사의 격변화를 직접 써보기

1 다음 우리말과 일치하도록 빈칸에 알맞은 대명사를 쓰세요.

정답 및 해설 p.18

01 ____They____ like ____this____.
그들은 이것을 좋아한다.

02 David loves ______________.
David은 나를 사랑한다.

03 My parents love ______________.
나의 부모님은 우리를 사랑하신다.

04 They like ______________.
그들은 이것들을 좋아한다.

05 I like ______________.
나는 그것을 좋아한다.

06 We love ______________.
우리는 여러분들을 사랑한다.

07 Jessica wants ______________.
Jessica는 저것들을 원한다.

08 They need ______________.
그들은 당신을 필요로 한다.

09 She always helps ______________.
그녀는 항상 그들을 도와준다.

10 We eat ______________ at Christmas.
우리는 크리스마스에 그것들을 먹는다.

11 ______________ is my coffee.
이것은 나의 커피다.

12 ______________ are my classmates.
이들은 나와 같은 반 친구들이다.

Words

- love 사랑하다
- always 항상
- need 필요하다
- at Christmas 크리스마스에
- classmate 반 친구

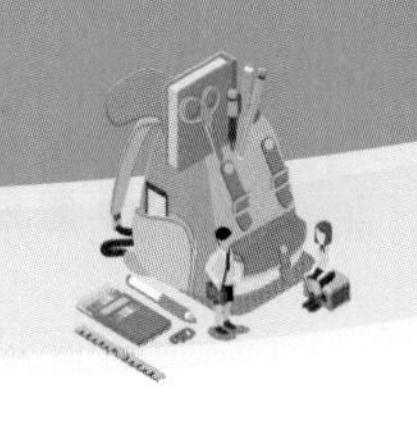

2 다음 영어와 일치하도록 우리말을 완성하세요.

정답 및 해설 p.18

01 Jack loves her. Jack은 __그녀를__ 사랑한다.

02 I like them. 나는 ________ 좋아한다.

03 I take care of them. 나는 ________ 돌본다.

04 My teacher helps us. 선생님은 ________ 도와주신다.

05 They want it. 그들은 ________ 원한다.

06 We know you. 우리는 ________ 알고 있다.

07 I meet him every morning. 나는 ________ 매일 아침 만난다.

08 They eat them every day. 그들은 ________ 매일 먹는다.

09 We visit him in the afternoon. 우리는 ________ 오후에 방문한다.

10 This is my math teacher. ________ 나의 수학선생님이시다.

11 James loves her. James는 ________ 사랑한다.

12 The woman makes these. 그 여자가 ________ 만든다.

13 I eat this for lunch. 나는 점심식사로 ________ 먹는다.

14 My mom reads those. 나의 엄마는 ________ 읽으신다.

15 The soccer team wants us. 그 축구팀은 ________ 원한다.

Words

- take care of ~을 돌보다
- every morning 매일 아침에
- every day 매일
- in the afternoon 오후에
- math 수학
- soccer 축구

Third Step 대명사 격변화 문장을 완성하기

다음 빈칸에 알맞은 인칭대명사를 쓰세요.

정답 및 해설 p.18

01 I have friends. I love ___them___.

02 He has a car. He washes ________.

03 Mike has a new computer. He uses ________ every day.

04 She has a son. She loves ________.

05 He has two daughters. He loves ________.

06 She knows Tom and me. She likes ________.

07 Kathy has three cats. She likes ________.

08 My father likes oranges. He buys ________ at a market.

09 Susie likes you and him. She plays with ________.

10 We like coffee. We drink ________ in the morning.

11 I have my room. I clean ________ every day.

12 Jessie has a sister. Jessie plays with ________.

13 He has a yellow shirt. He sometimes wears ________.

14 My aunt has a son. She teaches ________ English.

15 She knows Jack and John. She helps ________.

Words

- wash 씻다
- son 아들
- daughter 딸
- market 시장
- drink 마시다
- clean 청소하다
- play with ~와 놀다
- sometimes 때때로
- wear 입다

Writing Step

주어진 단어를 이용하여 문장을 완성하세요. (필요하면 단어를 추가하거나 변경하세요.)

정답 및 해설 p.19

Words

- go shopping 쇼핑하러 가다
- in the morning 아침에
- baseball 야구
- hate 미워하다
- want 원하다

01 나는 그들을 좋아한다. (I, they)

→ ___I___ like ___them___.

02 그들은 그것들을 저녁에 마신다. (they)

→ ________ drink ________ in the evening.

03 그는 우리를 사랑한다. (he, we)

→ ________ loves ________.

04 그녀는 그를 잘 안다. (she, he)

→ ________ knows ________ well.

05 그들은 그것을 매일 청소한다. (they, it)

→ ________ clean ________ every day.

06 그녀는 우리와 함께 쇼핑을 한다. (she, we)

→ ________ goes shopping with ________.

07 나는 이것들과 함께 논다. (I, this)

→ ________ play with ________.

08 그녀는 그것들을 아침에 먹는다. (she, they)

→ ________ eats ________ in the morning.

09 우리는 그와 함께 야구를 한다. (we, he)

→ ________ play baseball with ________.

10 그는 이것을 원한다. (he, these)

→ ________ wants ________.

11 나는 그들을 미워한다. (I, they)

→ ________ hate ________.

12 그들은 나를 원한다. (they, I)

→ ________ want ________.

대명사와 명사의 격변화

소유격은 명사와 함께 하지만, 소유대명사는 명사 없이 혼자서 역할을 합니다.

1 인칭대명사의 격변화 - 소유격, 소유대명사

	소유격		소유대명사	
1인칭 단수	my	나의	mine	나의 것
1인칭 복수	our	우리의	ours	우리의 것
2인칭 단수	your	너의	yours	너의 것
2인칭 복수	your	너희들의	yours	너희들의 것
3인칭 단수	his	그의	his	그의 것
	her	그녀의	hers	그녀의 것
	its	그것의	-	-
3인칭 복수	their	그들의 / 그것들의	theirs	그들의 것 / 그것들의 것

2 인칭대명사의 역할

1) 소유격: 명사 앞에 쓰여 소유를 나타내며 '~의'라고 해석합니다.

This is **my** car. 이것은 **나의** 차다.

Those are **her** books. 저것들은 **그녀의** 책이다.

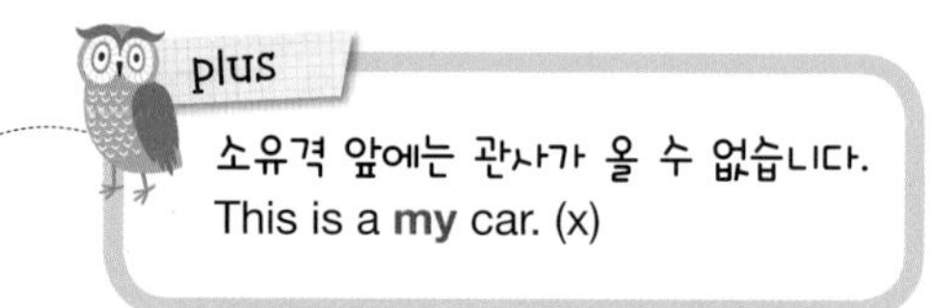

소유격 앞에는 관사가 올 수 없습니다.

This is a **my** car. (x)

2) 소유대명사: 「소유격+명사」를 대신해서 사용하며, '~의 것'이라고 해석합니다.

This is **my book.** → This is **mine.** 이것은 **내 것**이다.

This is **their house.** → This is **theirs.** 이것은 **그들의 것**이다.

3 명사의 격변화

종류	주격	소유격	목적격	소유대명사
고유명사	Jane Jane은	Jane's Jane의	Jane Jane을	Jane's Jane의 것
일반명사	my father 나의 아버지는 my dogs 나의 개들은	my father's 나의 아버지의 my dogs' 나의 개들의	my father 나의 아버지를 my dogs 나의 개들을	my father's 나의 아버지의 것 my dogs' 나의 개들의 것

This is **Jane's** cat. 이것은 Jane**의** 고양이다.

This is **Jane's.** 이것은 Jane**의 것**이다.

Warm up

❶ 다음 빈칸에 알맞은 말을 쓰세요.

정답 및 해설 p.19

	소유격		소유대명사	
1인칭 단수	my	나의		나의 것
1인칭 복수	our		ours	
2인칭 단수		너의	yours	
2인칭 복수	your			너희들의 것
3인칭 단수	his			그의 것
		그녀의		그녀의 것
		그것의	-	-
3인칭 복수	their		theirs	

❷ 다음 빈칸에 알맞은 말을 쓰세요.

01 나의 것 mine

02 그녀의

03 우리의 것

04 그의 것

05 Tom의

06 그들의

07 너의 것

08 우리의

09 너희들의

10 나의 여동생의

11 Jane의 것

12 그것의

First Step 명사와 대명사 격변화를 확인하기

1 다음 괄호 안에서 알맞은 말을 고르세요.

정답 및 해설 p.19

- coin 동전
- hair style 머리스타일
- movie 영화
- baseball 야구
- bike 자전거

01 She is (me / my / mine) student.

02 (These / this / they) coins are (her / mine / your).

03 That is (it / mine / your) computer.

04 I like (him / it / your) hair style.

05 She likes (me / hers / his) movies.

06 He wants to meet (my / hers / them) friends.

07 (His / Us / She) favorite sport is baseball.

08 We love (their / they / them).

09 I know (it / his / hers) mother.

10 This bike is (mine / my).

11 (She / My / He) computer is old.

12 (Those / That / This) are (Jane / Jane's) cats.

13 (They / Sam / Jack) are my friends.

14 (Its / It / It's) skin is white.

15 The black car is (he / her / his).

2 다음 괄호 안에서 알맞은 말을 고르세요.

정답 및 해설 p.19

- girls' school 여학교
- movie 영화
- bag 가방
- umbrella 우산
- dress 드레스
- sweater 스웨터

01 This is (Jane / Jane's) cat.

02 The (girl / girls') school is very big.

03 This room is (Jane / Jane's).

04 The car is (my uncle / my uncle's).

05 This is (she / her) house.

06 I like (him / his) songs.

07 This book is (him / his).

08 My friends like (my father / my father's) paintings.

09 The computer is (my sister / my sister's).

10 The bag is (John / John's).

11 Those black umbrellas are (her / hers).

12 These beautiful dresses are (my mother / my mother's).

13 They are (our / us) names.

14 These red sweaters are (their / theirs).

15 (Their / they) house is very big.

Second Step

명사와 대명사 격변화를 써보기

1 다음 우리말과 일치하도록 빈칸에 알맞은 말을 쓰세요.

정답 및 해설 p.19

01 Jack is ___my___ brother.
Jack은 나의 남동생이다.

02 These books are ____________.
이 책들은 Jane의 것이다.

03 My dad loves ____________.
아버지는 우리들을 사랑하신다.

04 This farm is my ____________.
이 농장은 나의 삼촌 것이다.

05 Those hamburgers are ____________.
저 햄버거들은 나의 아버지 것이다.

06 This rose is ____________.
이 장미는 그녀 것이다.

07 These gloves are ____________.
이 장갑들은 그들의 것이다.

08 We like ____________ color.
우리는 그것의 색깔이 마음에 든다.

09 The woman is ____________ English teacher.
그 여자는 그들의 영어선생님이시다.

10 Those toys are ____________.
저 장난감들은 너의 것이다.

11 This dress is ____________.
이 드레스는 내 것이다.

12 Susan is ____________ history teacher.
Susan은 우리의 역사선생님이시다.

Words

- uncle 삼촌
- farm 농장
- rose 장미
- glove 장갑
- color 색, 색상
- toy 장난감

② 다음 영어와 일치하도록 우리말을 완성하세요.

정답 및 해설 p.19

01 This robot is mine. 이 로봇은 나의 것이다.

02 These pants are Susan's. 이 바지는 ______________.

03 Those houses are ours. 저 집들은 ______________.

04 We wash his car every day. 우리는 ______________ 매일 닦는다.

05 They are Jane's shoes. 그것들은 ______________.

06 His brother is very smart. ______________ 매우 똑똑하다.

07 We like our culture. 우리는 ______________ 좋아한다.

08 The man is their science teacher. 그 남자는 ______________.

09 We know her uncle. 우리는 ______________ 안다.

10 The yellow house is hers. 그 노란색 집은 ______________.

11 This cell phone is my uncle's. 이 휴대전화기는 ______________.

12 His bike is very expensive. ______________ 매우 비싸다.

13 These are my grandparents. 이분들은 ______________.

14 The small car is my brother's. 그 작은 자동차는 ______________.

15 The glasses are yours. 그 안경은 ______________.

Words

- robot 로봇
- pants 바지
- shoe 신발
- smart 영리한
- culture 문화
- science 과학
- bike 자전거
- expensive 비싼
- grandparents 조부모
- glasses 안경

Third Step 명사와 대명사 격변화 문장을 완성하기

주어진 단어를 이용하여 빈칸에 알맞은 말을 쓰세요. (필요하면 형태를 바꾸세요.)

정답 및 해설 p.20

01 I talk with ___him___. (he)

02 Those pants are ______. (you)

03 This is ______ desk. (Mike)

04 She teaches ______ English. (he)

05 These cars are ______. (they)

06 The children often play in ______ garden. (she)

07 ______ hometown is Seoul. (I)

08 They want ______ advice. (he)

09 The red tomatoes are ______. (my sister)

10 I need ______ help. (they)

11 This piano is ______. (he)

12 Mike washes ______ car on Sunday. (he)

13 ______ favorite food is pizza. (she)

14 My friends like ______ style. (it)

15 Give ______ some money. (I)

Words

- take with ~와 이야기하다
- pants 바지
- often 자주
- garden 정원
- hometown 고향
- advice 조언
- on Sunday 일요일에
- favorite 좋아하는
- food 음식
- give 주다

Writing Step

주어진 단어들을 이용하여 문장을 완성하세요. (필요하면 단어를 추가하거나 변경하세요.)

정답 및 해설 p.20

- beautiful 아름다운
- favorite 좋아하는
- daughter 딸
- famous 유명한
- song 노래
- horse 말
- hobby 취미
- take a picture 사진 찍다

01 그녀의 어머니는 매우 아름다우시다. (she, mother)

→ Her mother is so beautiful.

02 이것은 나의 가방이다. (I, bag)

→ This is ______________________.

03 그의 친구들은 캐나다에서 왔다. (he, friends)

→ ______________________ are from Canada.

04 그들의 집은 오래되었다. (they, house)

→ ______________________ is old.

05 그가 좋아하는 운동은 야구이다. (he, favorite, sport)

→ ______________________ is baseball.

06 그의 딸은 유명한 가수이다. (he, daughter)

→ ______________________ is a famous singer.

07 우리는 그녀의 노래들을 좋아한다. (like, she, songs)

→ We ______________________.

08 우리는 우리의 부모님을 사랑한다. (love, we, parents)

→ We ______________________.

09 Sam은 너의 친구다. (you, friend)

→ Sam is ______________________.

10 Jack의 말은 빠르다. (Jack, horse)

→ ______________________ is fast.

11 이것은 내가 좋아하는 노래다. (me, favorite, song)

→ This is ______________________.

12 그들의 취미는 사진을 찍는 것이다. (they, hobby)

→ ______________________ is taking pictures.

Final Step 다양한 격변화를 정리하기

1 다음 밑줄 친 부분을 바르게 고쳐 쓰세요.

정답 및 해설 p.20

01 This is mine sandwich. my
이것은 내 샌드위치이다.

02 This are my stamps.
이것들은 나의 우표이다.

03 We like hers songs.
우리는 그녀의 노래들을 좋아한다.

04 This car is my.
이 자동차는 나의 것이다.

05 These is my mother.
이분은 나의 어머니이시다.

06 These bags are their.
이 가방들은 그들의 것이다.

07 They fruits are very fresh.
그들의 과일들은 매우 신선하다.

08 I like it color.
나는 그것의 색깔이 마음에 든다.

09 This is he house.
이것은 그의 집이다.

10 We eat its every day.
우리는 그것을 매일 먹는다.

11 He books are very interesting.
그의 책들은 매우 재미있다.

12 The yellow book is Jessica.
그 노란색 책은 Jessica의 것이다.

13 The man is hers uncle.
그 사람은 그녀의 삼촌이다.

14 It roof is blue.
그것의 지붕은 푸른색이다.

15 I brother plays basketball.
나의 남동생은 농구를 한다.

- sandwich 샌드위치
- stamp 우표
- bag 가방
- fruit 과일
- fresh 신선한
- color 색
- interesting 재미있는
- uncle 삼촌
- roof 지붕
- basketball 농구

❷ 다음 밑줄 친 부분을 바르게 고쳐 쓰세요.

정답 및 해설 p.20

01 Jessica loves he. → him
Jessica는 그를 사랑한다.

02 Their are in the gym.
그들은 체육관에 있다.

03 I work with she.
나는 그녀와 함께 일한다.

04 That house is her.
저 집은 그녀의 것이다.

05 These is his teacher.
이분은 그의 선생님이시다.

06 These pants are Jane.
이 바지는 Jane의 것이다.

07 Her is very diligent.
그녀는 매우 부지런하다.

08 John cats are very cute.
John의 고양이들은 매우 귀엽다.

09 This is my sister money.
이것은 내 여동생의 돈이다.

10 We visit their every day.
우리는 그들을 매일 방문한다.

11 That house is my brother.
저 집은 내 동생 것이다.

12 We like him movies.
우리는 그의 영화들을 좋아한다.

13 I know those woman.
나는 저 여자를 안다.

14 I believe they.
나는 그들을 믿는다.

15 These balls are your.
이 공들은 당신 것이다.

Words

- gym 체육관
- diligent 부지런한
- cute 귀여운
- every day 매일
- believe 믿다
- ball 공

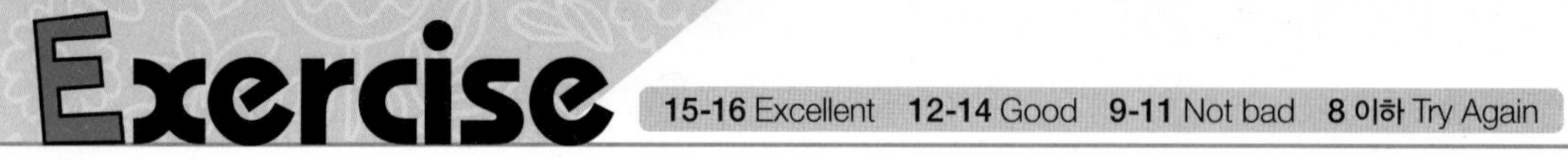

1 다음 중 연결이 나머지와 <u>다른</u> 것을 고르세요.

① I - me ② you - you ③ he - him
④ she - her ⑤ they - their

2 다음 중 우리말과의 연결이 <u>잘못된</u> 것을 고르세요.

① my - 나의 ② his - 그의 것 ③ their - 그들의
④ her - 그녀의 것 ⑤ your - 너의

[3-4] 다음 중 빈칸에 들어갈 알맞은 말을 고르세요.

3

These balls are ______________.

① they ② them ③ their
④ theirs ⑤ their's

4

This watch is ______________.

① my father ② them ③ him
④ he ⑤ my father's

4 watch 손목시계

[5-6] 다음 중 잘못된 문장을 고르세요.

Note

5 소유대명사의 형태를 확인하세요.

5 ① This bag is her.
② That is my father's car.
③ We love him.
④ This book is yours.
⑤ They are my parents.

6 visit 방문하다
clean 깨끗한

6 ① Those books are mine.
② That is my sister cat.
③ We visit them every day.
④ His room is clean.
⑤ This toy is hers.

7 **다음 중 빈칸에 들어갈 말로 바르게 짝지어진 것을 고르세요.**

I know __________. __________ are his friends.
나는 그들을 안다. 그들은 그의 친구들이다.

① them - Their
② them - Them
③ them - They
④ their - They
⑤ their - Them

8 watch 시계

8 **다음 중 밑줄 친 부분이 어색한 것을 고르세요.**

① This is his car. → This car is his.
② These are your coats. → These coats are yours.
③ This is Jane's cat. → This cat is Jane.
④ This is my sister's watch. → This watch is my sister's.
⑤ Those are her toys. → Those toys are hers.

Exercise

[9-11] 다음 빈칸에 들어갈 말로 알맞지 않은 것을 고르세요.

9

Jane plays with _______________.

① him ② my father ③ Tom
④ his ⑤ them

10

These pants are _______________.

① his ② theirs ③ Tom's
④ hers ⑤ my father

11

They visit _______________ every Sunday.

① my father ② him ③ hers
④ Jane ⑤ them

12 **다음 중 우리말과 일치하는 문장을 고르세요.**

이것들은 나의 아버지의 동전들이다.

① This is my father's coin.
② This is my father's coins.
③ These is my father's coins.
④ These are my father's coins.
⑤ These are my father's coin.

Note

9 play with ~와 놀다

10 pants 바지

11 every Sunday 매주 일요일

13 **다음 밑줄 친 부분을 바르게 고쳐 쓰세요.**

이 의자는 내 여동생 것이다.
This chair is my sister.

→ ______________________________

Note

[14-15] 다음 우리말과 뜻이 같도록 빈칸에 들어갈 말을 쓰세요.

14

우리는 그녀를 매일 방문한다.
We visit ____________ every day.

→ ______________________________

14 visit 방문하다

15

이것은 나의 아버지의 사무실이다.
This is ____________ office.

→ ______________________________

15 office 사무실

16 **다음 영어를 우리말로 쓰세요.**

This book is mine.

→ ______________________________

16 mine 나의 것

미국의 *landmark*

Niagara Falls

Niagara Falls는 미국 뉴욕 주와 캐나다 온타리오 주의 국경을 이루는 나이아가라 강에 있는 폭포입니다. 나이아가라 폭포는 두 개의 대형 폭포와, 하나의 소형 폭포로 구성되어 있습니다. 소형 폭포인 브라이달 베일 폭포(Bridal Veil Falls)는 미국 영토에 있습니다.

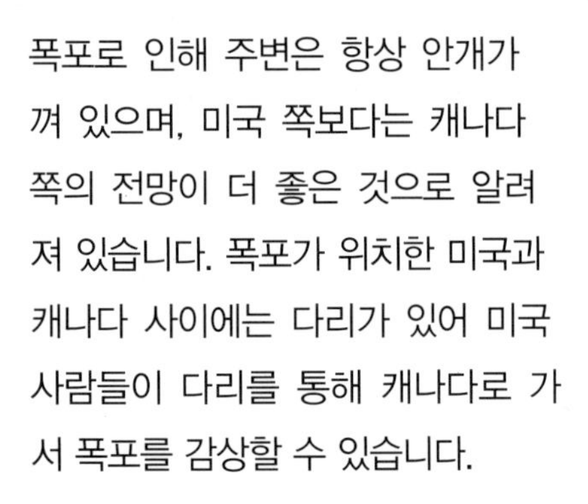

폭포로 인해 주변은 항상 안개가 껴 있으며, 미국 쪽보다는 캐나다 쪽의 전망이 더 좋은 것으로 알려져 있습니다. 폭포가 위치한 미국과 캐나다 사이에는 다리가 있어 미국 사람들이 다리를 통해 캐나다로 가서 폭포를 감상할 수 있습니다.

be동사 I

Word Check

□ airplane	□ airport	□ angry	□ boots	□ boring
□ calculator	□ cave	□ cousin	□ dentist	□ drawer
□ healthy	□ hill	□ housewife	□ magazine	□ pet
□ season	□ soldier	□ street	□ sunflower	□ tray

UNIT 01 be동사의 쓰임 I

be동사는 am, are, is이며 '~이다', '~하다', '~에 있다'라는 의미를 가지고 있습니다.

❶ be동사의 역할

be동사+형용사	(기분, 상태 등이) ~하다	I **am** happy. 나는 행복하다.
be동사+명사	(주어의 직업 등) ~이다	I **am** a teacher. 나는 선생님이다.
be동사+장소를 나타내는 말	~에 있다	Jack **is** in the park. Jack은 공원에 있다.

❷ 주격인칭대명사와 be동사

1인칭 단수	I	**am**	I **am** a doctor. 나는 의사이다.
2인칭 단수	you	**are**	You **are** a student. 당신은 학생이다.
3인칭 단수	he/she/it	**is**	It **is** my dog. 그것은 나의 개이다.
1인칭 복수	we	**are**	We **are** students. 우리는 학생들이다.
2인칭 복수	you	**are**	You **are** actors. 여러분은 배우들이다.
3인칭 복수	they	**are**	They **are** my friends. 그들은 나의 친구들이다.

plus 1

주어가 복수이면 be동사 are 다음에 나오는 명사도 복수형이 되어야 합니다.
We are student. (x)
We are students. (o)

plus 2

be동사의 줄임말
I am → I'm / We are → We're / You are → You're
He is → He's / She is → She's / It is → It's / That is → That's

❸ 명사 주어+be동사

단수명사	**is**	A cheetah **is** fast. 치타는 빠르다.
복수명사	**are**	The fruits **are** fresh. 그 과일들은 신선하다.

Warm up

다음 괄호 안에서 알맞은 것을 고르세요.

정답 및 해설 p.21

01 I (am / are / is) a student.

02 You (am / are / is) a student.

03 We (am / are / is) teachers.

04 He (am / are / is) a dentist.

05 She (am / are / is) a housewife.

06 They (am / are / is) roses.

07 It (am / are / is) big.

08 They are (lion / lions).

09 You are good (student / students).

10 She and I (am / are / is) in the park.

11 (You'r / You're) a good musician.

12 (Its / It's) in the living room.

13 (She's / She'is) very kind.

14 (He's / He'is) my brother.

15 (We'r / We're) famous actors.

Words

- dentist 치과의사
- housewife 가정주부
- rose 장미
- lion 사자
- park 공원
- musician 음악가
- living room 거실
- famous 유명한
- actor 배우

First Step

be동사의 쓰임을 확인하기

1 다음 빈칸에 알맞은 말을 쓰세요.

정답 및 해설 p.21

01 I ___am___ a doctor.

02 You ________ very brave.

03 We ________ your students.

04 He and I ________ classmates.

05 She ________ very strong.

06 They ________ in the train.

07 It ________ in the box.

08 The lions ________ very hungry.

09 Jack and Sara ________ in the movie theater.

10 Sam ________ sick today.

11 A dog ________ a faithful animal.

12 The girls ________ very sleepy.

13 The boy ________ my son.

14 The computers ________ mine.

15 We ________ in the cave.

Words

- brave 용감한
- classmate 반 친구
- strong 강한
- movie theater 영화관
- sick 아픈
- faithful 충성스러운
- animal 동물
- sleepy 졸린
- cave 동굴

2 다음 빈칸에 알맞은 말을 쓰세요.

정답 및 해설 p.21

01 Sam ___is___ my friend.

02 Jim and I ________ very happy.

03 They ________ in the office.

04 Susie ________ very angry now.

05 The movie ________ funny.

06 The buildings ________ white.

07 The fruits ________ watermelons.

08 She and her husband ________ healthy.

09 It ________ my toy.

10 The cats ________ my sister's.

11 My favorite singer ________ Jina.

12 The glasses ________ new.

13 Her uncles ________ diligent.

14 A bottle of wine ________ in the refrigerator.

15 Three geese ________ in the pond.

Words

- office 사무실
- angry 화난
- funny 웃기는
- building 빌딩
- watermelon 수박
- healthy 건강한
- toy 장난감
- glasses 안경
- diligent 부지런한, 근면한
- refrigerator 냉장고
- pond 연못

Second Step

be동사를 직접 사용하기

1 다음 중 밑줄 친 부분을 바르게 고쳐 쓰세요. 고칠 필요가 없으면 O표 하세요.

정답 및 해설 p.21

01 Mike are my cousin. is

02 They is my parents.

03 He and I are actors.

04 Jane and Susan is my classmates.

05 The horses is strong.

06 The animal is a monkey.

07 The cats is mine.

08 Her mother are a famous actor.

09 His hair are black.

10 The laptop computer is my sister's.

11 She and Tom is doctors.

12 The man is my uncle.

13 They is fresh fruits.

14 He are a pilot.

15 The animals is deer.

Words

- cousin 사촌
- actor 배우
- classmate 반 친구
- strong 강한
- monkey 원숭이
- laptop computer 휴대용 컴퓨터
- pilot 조종사
- deer 사슴

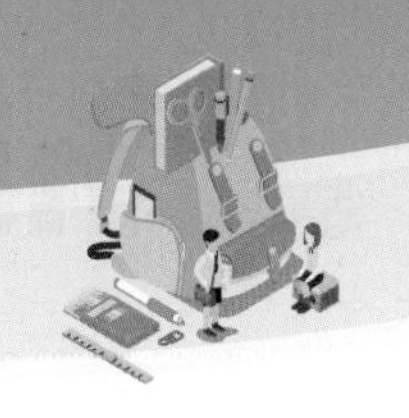

2 다음 중 밑줄 친 부분을 바르게 고쳐 쓰세요. 고칠 필요가 없으면 O표 하세요.

정답 및 해설 p.22

01 He are my brother. is

02 They are my friend.

03 She and Jack is dentists.

04 Three pants is in the drawer.

05 The book are on the sofa.

06 The horse is white.

07 They are new socks.

08 The songs is very popular.

09 The flowers are roses.

10 The computer is Jane's.

11 Tom and I am very busy.

12 Three women is in the restaurant.

13 They are fresh vegetable.

14 It is a cats.

15 Three sheep is on the hill.

Words

- dentist 치과의사
- drawer 서랍
- sofa 소파
- popular 인기 있는
- busy 바쁜
- restaurant 레스토랑
- vegetable 야채
- sheep 양
- hill 언덕

Third Step be동사 문장을 이해하기

다음 영어와 일치하도록 우리말을 완성하세요.

정답 및 해설 p.22

01 He is in the classroom. 그는 ___교실에 있다___.

02 Three pencils are on the desk. 연필 세 개가 ______________.

03 Jack is happy. Jack은 ______________.

04 Jessica is a doctor. Jessica는 ______________.

05 My father is tired. 나의 아버지는 ______________.

06 The fruits are fresh. 그 과일들은 ______________.

07 The movies are boring. 그 영화들은 ______________.

08 Tom and Jack are doctors. Tom과 Jack은 ______________.

09 These doughnuts are mine. 이 도넛들은 ______________.

10 Sam is in his room. Sam은 ______________.

11 They are angry. 그들은 ______________.

12 The book is interesting. 그 책은 ______________.

13 They are my cousins. 그들은 ______________.

14 The car is Jane's. 그 자동차는 ______________.

15 Five apples are in the basket. 다섯 개의 사과들이 ______________.

Words

- classroom 교실
- on ~위에
- tired 피곤한
- angry 화난
- boring 지루한
- interesting 재미있는
- cousin 사촌
- basket 바구니

Writing Step

다음 우리말에 맞게 빈칸에 알맞은 말을 쓰세요.

정답 및 해설 p.22

- kitchen 부엌
- carrot 당근
- giraffe 기린
- station 역
- and 그리고

01 이것은 고양이다.

→ ___This is___ a cat.

02 그는 학생이다.

→ ______________ a student.

03 그들은 나의 사촌들이다.

→ ______________ my cousins.

04 그녀는 부엌에 있다.

→ ______________ in the kitchen.

05 당근은 야채이다.

→ A ______________ a vegetable.

06 그 양말들은 나의 것이다.

→ The ______________ mine.

07 너는 나의 친구이다.

→ ______________ my friend.

08 그것은 내 아버지의 자동차이다.

→ ______________ my father's car.

09 그것들은 기린들이다.

→ ______________ giraffes.

10 그들은 나의 부모님이시다.

→ ______________ my parents.

11 우리는 가수들이다.

→ ______________ singers.

12 그녀와 Jane은 서울역에 있다.

→ ______________ at Seoul station.

be동사의 쓰임 II

be동사는 인칭대명사 외에 there, 지시대명사, 지시형용사 등과 함께 할 수 있습니다.

1 There+be동사

There is+단수명사 (~이 있다)	**There is a book** on the desk. 책상 위에 책이 한 권 있다.
There are+복수명사 (~들이 있다)	**There are three apples** in the basket. 바구니 안에 사과들이 세 개 있다.

plus
there은 해석하지 않습니다.

2 지시대명사+be동사

단수	This is ~ (이것은 ~ /이분은~)	**This is** a book. 이것은 책이다. **This is** my father. 이분은 나의 아버지이시다.
	That is ~ (저것은 / 저분은 ~)	**That is** a chair. 저것은 의자이다. **That is** my mom. 저분은 나의 엄마이시다.
복수	These are ~ (이것들은 / 이분들은 ~)	**These are** books. 이것들은 책들이다.
	Those are ~ (저것들은 / 저분들은 ~)	**Those are** oranges. 저것들은 오렌지들이다.

3 지시형용사+명사+be동사

단수	This+단수명사+is ~ (이 ~은 ~)	**This movie is** funny. 이 영화는 웃기다.
	That+단수명사+is ~ (저 ~은 ~)	**That coin is** mine. 저 동전은 나의 것이다.
복수	These+복수명사+are ~ (이 ~들은 ~)	**These boys are** my sons. 이 소년들은 나의 아들들이다.
	Those+복수명사+are ~ (저 ~들은 ~)	**Those men are** my uncles. 저 남자들은 나의 삼촌들이시다.

· basket 바구니 · funny 웃기는 · coin 동

Warm up

다음 괄호 안에서 알맞은 말을 고르세요.

정답 및 해설 p.22

01 That child (is / are) hungry.

02 There is (a table / tables) in the kitchen.

03 There (is / are) two glasses of milk on the table.

04 Those (is / are) my caps.

05 These are (vegetable / vegetables).

06 There (is / are) some milk in the bottle.

07 There (is / are) three carrots in the box.

08 They are famous (pianist / pianists).

09 There is (a nurse / nurses) in the room.

10 There (is / are) a woman in the garden.

11 That man (is / are) a pilot.

12 These (is / are) farmers.

13 There (is / are) a bottle of water in the refrigerator.

14 This (is / are) a sunflower.

15 Those animals are (goose / geese).

- kitchen 부엌
- cap 모자
- bottle 병
- carrot 당근
- nurse 간호사
- garden 정원
- pilot 비행기 조종사
- farmer 농부
- pianist 피아니스트
- refrigerator 냉장고
- sunflower 해바라기
- goose 거위

First Step 다양한 be동사의 쓰임을 확인하기

1 다음 빈칸에 알맞은 말을 쓰세요.

정답 및 해설 p.22

01 This ___is___ a bike.

02 That woman ________ a nurse.

03 This ________ my friend, Jessica.

04 That ________ Tom.

05 Those men ________ doctors.

06 These ________ fresh.

07 Those ________ my parents.

08 He and I ________ students.

09 These ________ my teachers.

10 Those dogs ________ cute.

11 That ________ delicious.

12 These vegetables ________ radishes.

13 Those ________ her gloves.

14 Those boys ________ sleepy.

15 That ________ her violin.

Words

- bike 자전거
- nurse 간호사
- fresh 신선한
- cute 귀여운
- delicious 맛있는
- radish 무
- glove 장갑
- sleepy 졸린
- violin 바이올린

2 다음 중 밑줄 친 부분을 바르게 고쳐 쓰세요. 고칠 필요가 없으면 O표 하세요.

정답 및 해설 p.23

01 They <u>are</u> in the room. O

02 That <u>animals</u> is a zebra.

03 This water <u>are</u> clean.

04 These <u>man</u> are pilots.

05 These cats <u>is</u> cute.

06 These <u>cookie</u> are delicious.

07 Five books <u>is</u> on the table.

08 This <u>books</u> is my cousin's.

09 These horses <u>are</u> mine.

10 These chairs <u>are</u> very cheap.

11 That building <u>are</u> a library.

12 That <u>is</u> my favorite food.

13 Those pictures <u>is</u> hers.

14 That <u>is</u> her room.

15 Those women are <u>nurse</u>.

Words

- zebra 얼룩말
- clean 깨끗한
- pilot 조종사
- delicious 맛있는
- cousin 사촌
- cheap 싼
- library 도서관
- picture 사진
- nurse 간호사

be동사 문장을 제대로 완성하기

1 다음 중 밑줄 친 부분을 바르게 고쳐 쓰세요. 고칠 필요가 없으면 O표 하세요.

정답 및 해설 p.23

01 There is two boys in the classroom. are

02 There are a table in the kitchen.

03 There are two cups of tea on the table.

04 There are two window in the room.

05 There are a dog under the chair.

06 There are many oranges in the store.

07 There is three carrots in the box.

08 There is many students at the bus stop.

09 There are a teacher in the classroom.

10 There is a man in the hall.

11 There are many car on the street.

12 There is five houses on the hill.

13 There are five bottle of water in the refrigerator.

14 There are two women on the bus.

15 There are five children in the playground.

- classroom 교실
- kitchen 부엌
- tea 차
- under ~아래에
- store 상점, 가게
- carrot 당근
- bus stop 버스 정류장
- hall 복도
- street 거리
- hill 언덕
- refrigerator 냉장고
- on the bus 버스에
- playground 놀이터

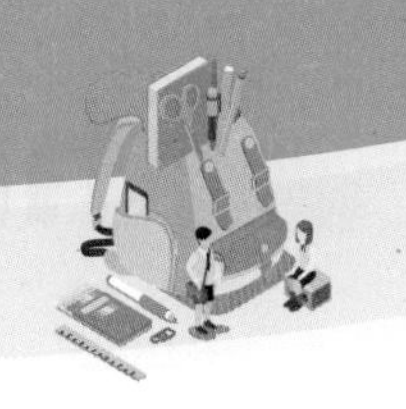

② 다음 빈칸에 알맞은 말을 쓰세요.

정답 및 해설 p.23

01 There ___is___ a girl in the classroom.

02 There ________ a pencil on the desk.

03 There ________ two books on the desk.

04 There ________ six rooms in the house.

05 There ________ ten students in the gym.

06 There ________ a computer in the room.

07 There ________ a sofa in the living room.

08 There ________ four chairs in the kitchen.

09 There ________ six English teachers at the school.

10 There ________ a loaf of bread on the table.

11 There ________ many mountains in Korea.

12 There ________ a cat under the tree.

13 There ________ two slices of cheese in the bowl.

14 There ________ many airplanes at the airport.

15 There ________ seven days in a week.

- desk 책상
- gym 체육관
- sofa 소파
- chair 의자
- kitchen 부엌
- a loaf of ~ 한 덩어리
- mountain 산
- two slices of ~ 두 조각
- cheese 치즈
- bowl 그릇, 사발
- airplane 비행기
- airport 공항
- in a week 일주일에

Third Step

be동사 문장을 이해하기

다음 영어와 일치하도록 우리말을 완성하세요.

정답 및 해설 p.23

- magazine 잡지
- some 약간
- bottle 병
- store 상점, 가게
- stage 무대
- refrigerator 냉장고
- doughnut 도넛
- tray 쟁반
- living room 거실
- library 도서관
- season 계절

01 There is a man in the room.
⟶ 방 안에 한 남자가 있다.

02 There are two magazines on the table.
⟶ 식탁 위에 ____________.

03 There is some water in the bottle.
⟶ 병에 약간의 ____________.

04 There is a computer in his room.
⟶ 그의 방에 ____________.

05 There are two cats under the table.
⟶ 식탁 밑에 ____________.

06 There are many stores at the market.
⟶ 시장에 많은 ____________.

07 There is a piano on the stage.
⟶ 무대 위에 ____________.

08 There are some vegetables in the refrigerator.
⟶ 냉장고에 약간의 ____________.

09 There are five doughnuts on the tray.
⟶ 쟁반 위에 ____________.

10 There is a boy under the tree.
⟶ 나무 밑에 ____________.

11 There are four seasons in a year.
⟶ 일 년에는 ____________.

12 There are my friends in the library.
⟶ 도서관에 ____________.

Writing Step

주어진 단어를 이용하여 문장을 완성하세요. (필요하면 단어를 추가하거나 변경하세요.)

정답 및 해설 p.24

- refrigerator 냉장고
- vegetable 야채
- office 사무실
- hill 언덕
- bench 의자, 벤치
- park 공원
- soldier 군인
- sheep 양

01 의자 밑에 고양이 두 마리가 있다. (there, be, two)

→ There are two cats under the chair.

02 냉장고에 주스 세 병이 있다. (there, be, three, bottle)

→ ______________ of juice in the refrigerator.

03 상자 안에 야채들이 좀 있다. (there, be, some vegetables)

→ ______________ in the box.

04 사무실에 나의 아버지가 계시다. (there, be, my father)

→ ______________ in the office.

05 언덕 위에 집이 하나 있다. (there, be, a house)

→ ______________ on the hill.

06 공원에 다섯 개의 벤치가 있다. (there, be, five benches)

→ ______________ in the park.

07 이 남자들은 군인이다. (these, be, men)

→ ______________ soldiers.

08 이분들은 나의 부모님이시다. (these, be)

→ ______________ my parents.

09 저 꽃들은 아름답다. (those, be, flower)

→ ______________ beautiful.

10 식당에 여섯 개의 식탁이 있다. (there, be, six tables)

→ ______________ in the restaurant.

11 저것들은 나의 양들이다. (those, be)

→ ______________ my sheep.

12 그 방에 아홉 명의 어린이가 있다. (there, be, nine, children)

→ ______________ in the room.

Final Step

be동사의 쓰임을 정리하기

1 다음 중 잘못된 부분을 바르게 고쳐 쓰세요.

정답 및 해설 p.24

01 Julie and Sam is my friends. is → are
Julie와 Sam은 나의 친구들이다.

02 These potatoes is my uncle's.
이 감자들은 나의 삼촌 것이다.

03 She and Jessie is students.
그녀와 Jessie는 학생이다.

04 Jane and Susan are actor.
Jane과 Susan은 배우이다.

05 These are my coin.
이것들은 나의 동전들이다.

06 These boots is my sister's.
이 부츠는 내 여동생 것이다.

07 The fire fighters is very brave.
그 소방관들은 매우 용감하다.

08 Her garden are beautiful.
그녀의 정원은 아름답다.

09 They are honest student.
그들은 정직한 학생들이다.

10 There are some milk in the bottle.
병에 우유가 좀 있다.

11 These men are waiter.
이 남자들은 종업원들이다.

12 This movies is very boring.
이 영화는 매우 지루하다.

Words

- potato 감자
- coin 동전
- boots 부츠
- fire fighter 소방관
- brave 용감한
- garden 정원
- honest 정직한
- bottle 병
- waiter 종업원
- boring 지루한

❷ 다음 중 잘못된 부분을 바르게 고쳐 쓰세요.

정답 및 해설 p.24

01 There are a lamp in the living room. are → is
거실에 등이 하나 있다.

02 These is my towels.
이것들은 나의 수건들이다.

03 That is my cats.
저것은 나의 고양이다.

04 These socks is my mother's.
이 양말들은 나의 어머니 것이다.

05 There is many books in the library.
도서관에 많은 책들이 있다.

06 There are three house on the hill.
언덕 위에 세 채의 집이 있다.

07 They are my pet.
그것들은 나의 애완동물들이다.

08 This coffee are hot.
이 커피는 뜨겁다.

09 There are two glass of milk on the table.
식탁 위에 우유 두 잔이 있다.

10 He and I are scientist.
그와 나는 과학자다.

11 They are famous singer.
그들은 유명한 가수들이다.

12 There are a calculator on the desk.
책상 위에 계산기가 한 대 있다.

Words

- lamp 등
- towel 수건
- socks 양말
- library 도서관
- hill 언덕
- pet 애완동물
- hot 뜨거운
- two glasses of ~ 두 잔
- scientist 과학자
- calculator 계산기

Exercise

15-16 Excellent 12-14 Good 9-11 Not bad 8 이하 Try Again

[1-2] 다음 중 잘못된 문장을 고르세요.

1 ① They are tired. ② These are my parents. ③ He is a singer. ④ Susan and I am students. ⑤ They are roses.

2 ① This is my ring. ② These are a lion. ③ It is his money. ④ They are his photos. ⑤ It is her cat.

3 다음 중 빈칸에 들어갈 말이 나머지와 다른 것을 고르세요.

① There __________ a book on the chair.
② There __________ a cup of coffee on the table.
③ There __________ two spoons on the table.
④ There __________ my brother in the garage.
⑤ There __________ an apple on the tray.

4 다음 중 빈칸에 들어갈 말로 알맞지 않은 것을 고르세요.

There are ____________ in the park.

① my friends ② three benches ③ my teachers ④ trees ⑤ a boy

Note

1 tired 피곤한
주어가 단수이면 is를, 복수이면 are가 옵니다.

2 ring 반지
photo 사진

3 spoon 스푼, 수저
garage 차고

4 park 공원
bench 의자

[5-6] 다음 중 빈칸에 들어갈 말이 바르게 짝지어진 것을 고르세요.

5

• These ______________ my notebooks.
• He and I ______________ scientists.

① is - is ② is - are ③ are - is
④ are - are ⑤ 없음 - are

6

• There is ______________ in the room.
• These are my ______________.

① a lamp - book ② a lamp - books
③ lamps - books ④ lamps - book
⑤ two lamps - books

[7-8] 다음 중 올바른 문장을 고르세요.

7 ① Tom and Sam is handsome.
② There is 365 days in a year.
③ Jack and I are English teachers.
④ These are a tulip.
⑤ Those pants is his.

8 ① Han is from China.
② The movie are funny.
③ This jacket are my brother's.
④ These vegetables is fresh.
⑤ The book are on the desk.

Note

5 notebook 공책
scientist 과학자

6 lamp 등

7 handsome 잘생긴
day 날
in a year 일 년에
tulip 튤립

8 funny 재미있는
jacket 재킷, 상의
주어가 단수이면 is가, 복수이면 are가 옵니다.

Exercise

[9-10] 다음 중 보기의 우리말과 의미가 같은 것을 고르세요.

9 heavy 무거운

9

저 상자는 무겁다.

① This box is heavy. ② These boxes are heavy.
③ That box is heavy. ④ Those boxes are heavy.
⑤ The boxes are heavey.

10

이것들은 과일들이다.

① This is a fruit. ② These are a fruit.
③ This is fruits. ④ They are a fruit.
⑤ These are fruits.

11 다음 중 빈칸에 공통으로 들어갈 말을 고르세요.

11 kangaroo 캥거루

- There ______________ some milk in the bottle.
- This animal ______________ a kangaroo.

① am ② are ③ is ④ the ⑤ its

[12-13] 다음 빈칸에 들어갈 알맞은 말을 쓰세요.

12

의자 밑에 연필 두 개가 있다.

There ______________ two pencils under the chair.

→ ____

12 under the chair 의자 밑에

13

Susan과 그녀의 엄마는 박물관에 있다.

Susan and her mother ____________ in the museum.

→ ______________________________

Note

13 museum 박물관

[14-16] 다음 밑줄 친 부분을 바르게 고쳐 쓰세요.

14

There is many girls in the gym.

→ ______________________________

14 many girls이므로 복수동사가 옵니다.

15

There are five child in the playground.

→ ______________________________

15 playground 놀이터
child 아이
children 아이들

16 다음 영어를 우리말로 쓰세요.

Those movies are funny.

→ ______________________________

16 funny 재미있는, 웃기는

우리가 잘못 사용하고 있는 영어표현

SNS vs Social Media

요즘 우리가 많이 사용하고 있는 SNS라는 표현은 실제로 영어를 모국어로 사용하는 사람들에게 낯선 표현입니다. 영어를 모국어로 하는 사람들은 SNS 대신 social media라고 합니다.

We use social media every day. 우리는 매일 소셜 미디어를 사용한다.

after service vs after sales service

전자 제품 같은 것을 구입하면서 after service에 대해서 물어보는데 after service 또는 a/s는 올바른 영어표현은 아닙니다. after service 대신에 '물건을 판매한 후 서비스를 한다.'는 의미의 after sales service라고 해야 합니다. 무상 수리 보증 기간을 물어볼 때에는 warranty period라는 말을 사용해도 됩니다.

We provide after-sales services to customers for two years.
우리는 2년 동안 애프터서비스를 제공한다.

be동사 Ⅱ

Word Check

□ backpack	□ boxer	□ bridge	□ businessman	□ cafeteria
□ calendar	□ cheap	□ coin	□ dictionary	□ family
□ forest	□ housekeeper	□ pencil	□ player	□ pool
□ restaurant	□ theater	□ uniform	□ wall	□ zoo

be동사의 부정문

be동사가 있는 문장을 부정문으로 만들기 위해서는 be동사 바로 뒤에 not을 붙이면 됩니다.

❶ 인칭대명사+be동사의 부정문

1인칭 단수	I	**am not**	I **am not** a student. 나는 학생이 아니다.
2인칭 단수	You	**are not**(= aren't)	You **are not** a student. 당신은 학생이 아니다.
3인칭 단수	He/She/It	**is not**(= isn't)	He **is not** my brother. 그는 내 남동생이 아니다.
1인칭 복수	We	**are not**(= aren't)	We **are not** students. 우리는 학생이 아니다.
2인칭 복수	You	**are not**(= aren't)	You **are not** actors. 여러분은 배우들이 아니다.
3인칭 복수	They	**are not**(= aren't)	They **are not** my friends. 그들은 나의 친구들이 아니다.

❷ 명사 주어+be동사의 부정문

단수명사	**is not**(= isn't)	The cheetah **is not** fast. 그 치타는 빠르지 않다
복수명사	**are not**(= aren't)	The fruits **are not** fresh. 그 과일들은 신선하지 않다.

❸ There+be동사의 부정문

There is not(= isn't)+단수명사 (~이 없다)	**There is not** a book on the desk. 책상 위에 책이 없다.
There are not(= aren't)+복수명사 (~들이 없다)	**There are not** apples in the basket. 바구니 안에 사과들이 없다.

❹ This/That+be동사의 부정문

단수	This is not ~ (이것(분)은 ~이 아니다) That is not ~ (저것(분)은 ~이 아니다)	**This is not** a book. 이것은 책이 아니다. **That is not** my mom. 저분은 나의 엄마가 아니시다.
복수	These are not ~ (이것(분)들은 ~이 아니다) Those are not ~ (저것(분)들은 ~이 아니다)	**These are not** books. 이것들은 책이 아니다. **Those are not** oranges. 저것들은 오렌지가 아니다.

Warm up

다음 괄호 안에서 알맞은 말을 고르세요.

정답 및 해설 p.25

01 This (is not / are not) a toy.

02 The rooms (is not / are not) clean.

03 These (is not / are not) yours.

04 Jack and Susan (is not / are not) in the playground.

05 They (is not / are not) in the room.

06 These socks (is not / are not) new.

07 The cats (is not / are not) black.

08 Those horses (is not / are not) very fast.

09 There (is not / are not) cookies on the table.

10 These watches (is not / are not) expensive.

11 The fruits (is not / are not) cheap.

12 It (is not / are not) my notebook.

13 These flowers (is not / are not) beautiful.

14 This tomato (is not / are not) red.

15 That building (is not / are not) tall.

- toy 장난감
- clean 깨끗한
- playground 놀이터, 운동장
- horse 말
- fast 빠른
- expensive 비싼
- cheap 저렴한
- notebook 공책
- tomato 토마토
- building 건물

1 다음 문장을 부정문으로 바꾸세요. (축약형을 사용하지 마세요.)

정답 및 해설 p.25

- cook 요리사
- hungry 배고픈
- calendar 달력
- busy 바쁜
- forest 숲
- famous 유명한
- writer 작가

01 She is a cook.
→ She is not a cook.

02 We are hungry.
→ ______________________

03 Jackson is my brother.
→ ______________________

04 They are my shoes.
→ ______________________

05 That is a calendar.
→ ______________________

06 Those are my puppies.
→ ______________________

07 She is ten years old.
→ ______________________

08 She and I are busy.
→ ______________________

09 This car is mine.
→ ______________________

10 There are many trees in the forest.
→ ______________________

11 He and she are my friends.
→ ______________________

12 My mom is a famous writer.
→ ______________________

2 다음 문장을 부정문으로 바꾸세요. (축약형을 사용하세요.)

정답 및 해설 p.25

01 Jack is a businessman.

→ Jack isn't a businessman.

02 They are angry.

→ ______________________

03 Jane is my science teacher.

→ ______________________

04 They are my pants.

→ ______________________

05 The shopping mall is big.

→ ______________________

06 That is a bookstore.

→ ______________________

07 The food is delicious.

→ ______________________

08 She and Jack are honest.

→ ______________________

09 This bicycle is Jackson's.

→ ______________________

10 The movie is funny.

→ ______________________

11 These houses are expensive.

→ ______________________

12 It is cold today.

→ ______________________

- businessman 사업가
- shopping mall 쇼핑몰
- bookstore 서점
- delicious 맛있는
- honest 정직한
- bicycle 자전거
- funny 재미있는, 웃기는
- expensive 비싼
- cold 추운

Second Step

be동사 부정문을 직접 써보기

1 다음 우리말과 일치하도록 빈칸에 알맞은 말을 쓰세요.

정답 및 해설 p.25

01 They ___are___ ___not___ my cameras.
그것들은 내 카메라가 아니다.

02 That man _______ _______ a science teacher.
저 사람은 과학선생님이 아니다.

03 This car _______ _______ mine.
이 자동차는 내 것이 아니다.

04 Those players _______ _______ tired.
저 선수들은 피곤하지 않다.

05 We _______ _______ famous singers.
우리는 유명한 가수가 아니다.

06 I _______ _______ a lawyer.
나는 변호사가 아니다.

07 There _______ _______ a bowl on the table.
식탁 위에는 그릇이 없다.

08 They _______ _______ interesting.
그것들은 재미있지 않다.

09 She _______ _______ weak.
그녀는 약하지 않다.

10 That _______ _______ a department store.
저것은 백화점이 아니다.

11 There _______ _______ musicians on the stage.
무대 위에 음악가들이 없다.

12 There _______ _______ tigers in the zoo.
동물원에 호랑이가 없다.

Words

- camera 카메라
- science 과학
- tired 피곤한
- lawyer 변호사
- interesting 재미있는
- scientist 과학자
- weak 약한
- department store 백화점
- musician 음악가
- zoo 동물원

2 다음 우리말과 일치하도록 빈칸에 알맞은 말을 쓰세요.

정답 및 해설 p.26

01 They ___are___ ___not___ my classmates.
그들은 나와 같은 반 학생들이 아니다.

02 There _______ _______ spoons on the table.
식탁 위에는 수저들이 없다.

03 Jack _______ _______ a popular singer.
Jack은 인기 있는 가수가 아니다.

04 That building _______ _______ a city hall.
저 건물은 시청이 아니다.

05 These women _______ _______ my aunts.
이 여자들은 나의 고모들이 아니다.

06 I _______ _______ late for school.
나는 학교에 지각하지 않는다.

07 The girl _______ _______ lazy.
그 소녀는 게으르지 않다.

08 Jim and Cathy _______ _______ busy today.
Jim과 Cathy는 오늘 바쁘지 않다.

09 There _______ _______ many people in the park.
공원에 사람이 많이 있지 않다.

10 Her sister _______ _______ in the library.
그녀의 여동생은 도서관에 없다.

11 The story _______ _______ true.
그 이야기는 사실이 아니다.

12 These _______ _______ Mike's.
이것들은 Mike의 것이 아니다.

- spoon 수저
- popular 인기 있는
- building 건물
- aunt 이모, 고모, 숙모
- be late 늦다
- lazy 게으른
- busy 바쁜
- park 공원
- library 도서관
- true 진실의, 진짜의

Third Step

be동사 부정문을 확인하기

다음 밑줄 친 부분을 바르게 고쳐 쓰세요. 고칠 필요가 없는 것에는 O표 하세요.

정답 및 해설 p.26

01 That girl aren't my daughter. isn't

02 Those houses is not big.

03 Cathy are not tired now.

04 My bicycles is not new.

05 These glasses isn't my father's.

06 The train isn't fast.

07 His children isn't in the hospital.

08 There is not many cars on the street.

09 There are not a lamp in the living room.

10 There are not a dictionary on the sofa.

11 The doctor aren't my uncle.

12 Those animals is not yours.

13 That is not my coat.

14 The policemen is not brave.

15 Those women isn't cooks.

- tired 피곤한
- bicycle 자전거
- hospital 병원
- street 거리
- dictionary 사전
- brave 용감한
- cook 요리사, 요리하다

Writing Step

주어진 단어를 이용하여 문장을 완성하세요. (필요하면 단어를 추가하거나 변경하세요.)

정답 및 해설 p.26

Words

- hungry 배고픈
- musician 음악가
- interesting 재미있는
- relative 친척
- zoo 동물원
- strong 강한, 힘 있는
- handsome 잘생긴
- expensive 값비싼

01 그 기차는 빠르지 않다. (be, fast)

→ The train ___is___ ___not___ ___fast___.

02 그들은 학생이 아니다. (be, students)

→ They ________ ________ ________.

03 이 동전들은 너의 것이 아니다. (be, yours)

→ These coins ________ ________ ________.

04 Jack과 나는 배고프지 않다. (be, hungry)

→ Jack and I ________ ________ ________.

05 그의 아버지는 음악가가 아니시다. (be, a musician)

→ His father ________ ________ ________ ________.

06 그 책은 재미있지 않다. (be, interesting)

→ The book ________ ________ ________.

07 그들은 나의 친척들이 아니다. (be, my relatives)

→ They ________ ________ ________ ________.

08 동물원에 동물들이 없다. (be, animals)

→ There ________ ________ ________ in the zoo.

09 나의 동생은 튼튼하지 않다. (be, strong)

→ My brother ________ ________ ________.

10 이 연필들은 나의 것이 아니다. (be, mine)

→ These pencils ________ ________ ________.

11 John은 잘생기지 않았다. (be, handsome)

→ John ________ ________ ________.

12 나의 시계는 비싸지 않다. (be, expensive)

→ My watch ________ ________ ________.

UNIT 02 be동사의 의문문

be동사가 있는 문장을 의문문으로 만들기 위해서는 be동사를 주어 앞으로 이동시키면 됩니다.

1 be동사의 의문문 만들기 - 문장 끝에 물음표(?)를 붙이세요.

You are a teacher. → **Are you** a teacher? 당신은 선생님인가요?
This is a book. → **Is this** a book? 이것은 책이니?
These vegetables are fresh. → **Are these vegetables** fresh? 이 채소들은 신선하니?

2 be동사의 의문문에 답하기

의문문	긍정의 대답	부정의 대답
Am I a doctor?	Yes, **you are**.	No, **you are not(=aren't)**.
Are you a doctor?	Yes, **I am**.	No, **I am not**. (축약 없음)
Is he/she a doctor?	Yes, **he/she is**.	No, **he/she is not(=isn't)**.
Are we happy?	Yes, **we/you are**.	No, **we/you are not(=aren't)**.
Are you doctors? **Are you and Jack** doctors?	Yes, **we are**.	No, **we are not(=aren't).**
Are they happy? **Are the socks** yours?	Yes, **they are**.	No, **they are not(=aren't).**
Is it/this/that a cake?	Yes, **it is**.	No, **it is not(=isn't)**.
Are these/those yours?	Yes, **they are**.	No, **they are not(=aren't).**
Is there a boy in the room?	Yes, **there is**.	No, **there is not(=isn't)**.
Are there boys in the room?	Yes, **there are**.	No, **there are not(=aren't).**
Is your father busy?	Yes, **he is.**	No, **he is not(=isn't)**.
Is your mom a teacher?	Yes, **she is.**	No, **she is not(=isn't)**.

plus

* 긍정의 대답의 경우 be동사 축약형을 만들지 않습니다.
* 복수명사나 복수대명사로 물어보는 의문문은 they로 대답합니다.
* 질문의 주어가 사물 단수는 it으로 대답합니다.
* this, that으로 물어보는 의문문은 it으로 대답합니다.
* 질문의 주어가 남성 단수는 he, 여성 단수는 she로 대답합니다.

Warm up

다음 괄호 안에서 알맞은 말을 고르세요.

정답 및 해설 p.26

01 (Is / Are) this a towel?

02 (Is / Are) this room yours?

03 (Is / Are) these books yours?

04 (Is / Are) Jack and Susan in the classroom?

05 (Is / Are) there a dog in the room?

06 (Is / Are) you from Korea?

07 (Is / Are) there cats under the table?

08 (Is / Are) those dogs fast?

09 (Is / Are) these cookies delicious?

10 (Is / Are) he a boxer?

11 (Is / Are) that a fruit?

12 (Is / Are) this your notebook?

13 (Is / Are) they your sons?

14 (Is / Are) it red?

15 (Is / Are) these your toys?

- towel 수건
- classroom 교실
- under ~아래에
- boxer 권투선수
- notebook 공책
- toy 장난감

First Step

be동사 의문문 만들기

1 다음 문장을 의문문으로 바꾸세요.

정답 및 해설 p.26

01 She is a cook.
→ Is she a cook?

02 This is your uniform.
→ ______________________

03 There is my brother in the room.
→ ______________________

04 They are my shoes.
→ ______________________

05 Those are your puppies.
→ ______________________

06 She is five years old.
→ ______________________

07 This car is expensive
→ ______________________

08 The computer game is funny.
→ ______________________

09 They are in the park.
→ ______________________

10 Those are her glasses.
→ ______________________

11 There are cups on the table.
→ ______________________

12 They are hungry now.
→ ______________________

- cook 요리사
- uniform 유니폼, 제복
- puppy 강아지
- expensive 비싼
- park 공원
- glasses 안경
- cup 컵
- hungry 배고픈

2 다음 의문문에 알맞은 대답을 쓰세요. (축약형을 사용하지 마세요.)

정답 및 해설 p.27

01 Are you a singer?
Yes, ___I am___. No, ___I am not___.

02 Is she pretty?
Yes, ______________. No, ______________.

03 Is it your computer?
Yes, ______________. No, ______________.

04 Are you students?
Yes, ______________. No, ______________.

05 Are you a student?
Yes, ______________. No, ______________.

06 Is there a teacher in the classroom?
Yes, ______________. No, ______________.

07 Is this expensive?
Yes, ______________. No, ______________.

08 Is she your daughter?
Yes, ______________. No, ______________.

09 Is it his money?
Yes, ______________. No, ______________.

10 Are there many people in the shopping mall?
Yes, ______________. No, ______________.

11 Is your father busy?
Yes, ______________. No, ______________.

12 Is it a pen?
Yes, ______________. No, ______________.

- singer 가수
- pretty 예쁜
- expensive 비싼
- daughter 딸
- shopping mall 쇼핑몰
- busy 바쁜

Second Step

be동사 의문문을 확인하기

1 다음 의문문에 알맞은 대답을 쓰세요. (축약형을 사용하세요.)

정답 및 해설 p.27

- new 새로운
- glove 장갑
- strong 강한
- son 아들
- theater 극장
- coin 동전
- Korean 한국사람

01 Are your pants new?
Yes, ___they are___. No, ___they aren't___.

02 Is this your cat?
Yes, ______________. No, ______________.

03 Are there her gloves in the box?
Yes, ______________. No, ______________.

04 Is your sister tall?
Yes, ______________. No, ______________.

05 Is your father strong?
Yes, ______________. No, ______________.

06 Are those your sons?
Yes, ______________. No, ______________.

07 Is your mother a doctor?
Yes, ______________. No, ______________.

08 Are they in the theater?
Yes, ______________. No, ______________.

09 Are these coins yours?
Yes, ______________. No, ______________.

10 Are these yours?
Yes, ______________. No, ______________.

11 Is that his car?
Yes, ______________. No, ______________.

12 Are those singers Koreans?
Yes, ______________. No, ______________.

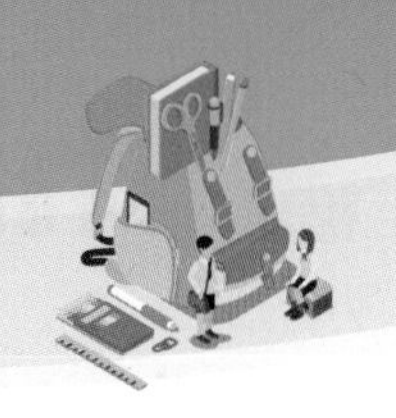

② 다음 밑줄 친 부분을 바르게 고쳐 쓰세요. 고칠 필요가 없으면 O표 하세요.

정답 및 해설 p.27

01 Are she your mother? Is

02 Are your mother a housekeeper?

03 Is these comic books yours?

04 Is she and Jack in the cafeteria?

05 Are there a cat under the tree?

06 Is the movies funny?

07 Is there three bowls on the table?

08 Is those horses fast?

09 Is the baby hungry now?

10 Are this your camera?

11 Is these pencils yours?

12 Are your cousins nurses?

13 Are his umbrella new?

14 Are your son on the bus?

15 Are these toys expensive?

Words

- housekeeper 가정주부
- cafeteria 카페
- movie 영화
- bowl 그릇
- pencil 연필
- nurse 간호사
- umbrella 우산
- toy 장난감
- expensive 비싼

Third Step

be동사 의문문에 답하기

다음 밑줄 친 부분을 바르게 고쳐 쓰세요. 고칠 필요가 없으면 O표 하세요

정답 및 해설 p.27

01 Is he your father? Yes, she is. he is

02 Are you actors ? Yes, I am.

03 Are these coins yours? Yes, it is.

04 Are Sam and Jane in the zoo? Yes, he is.

05 Are your sisters students? Yes, she is.

06 Is the book interesting? Yes, they are.

07 Are they your uncles? No, they are not.

08 Is that horse fast? Yes, it is.

09 Are you and your sister in the park? Yes, I am.

10 Is this your camera? Yes, that is.

11 Are these pencils yours? Yes, it is.

12 Is your brother tall? No, she isn't

13 Is his car new? Yes, it is.

14 Are your cousins in the restaurant? Yes, he is.

15 Are these cell phones expensive? No, it isn't.

- actor 배우
- coin 동전
- zoo 동물원
- interesting 재미있는
- park 공원
- pencil 연필
- new 새로운
- restaurant 식당
- cell phone 휴대전화

Writing Step

주어진 단어를 이용하여 문장을 완성하세요. (필요하면 단어를 추가하거나 변경하세요.)

정답 및 해설 p.28

01 저 바지들은 당신 것인가요? (those, be, pants)

→ Are those pants yours?

02 저 건물이 너의 학교이니? (that, be, building)

→ ________________ your school?

03 이 양들은 너의 삼촌 것이니? (these, be, sheep)

→ ________________ your uncle's?

04 Jack과 Tom은 군인인가요? (Jack and Tom, be)

→ ________________ soldiers?

05 공원에 많은 나무들이 있니? (there, be, many trees)

→ ________________ in the park?

06 강 위에 다리가 있니? (there, be, a bridge)

→ ________________ over the river?

07 수영장에 아이들이 있니? (there, be, children)

→ ________________ in the pool?

08 그들은 위대한 과학자들이니? (be, they)

→ ________________ great scientists?

09 저 소녀가 너의 딸이니? (be, girl, that)

→ ________________ your daughter?

10 저 소방관들은 용감한가요? (be, those)

→ ________________ fire fighters brave?

11 부엌에 의자들이 있니? (be, there, chairs)

→ ________________ in the kitchen?

12 그는 너의 선생님이니? (be, he)

→ ________________ your teacher?

Words

- soldier 군인
- park 공원
- over ~위에
- bridge 다리
- pool 수영장
- scientist 과학자
- daughter 딸
- fire fighter 소방관
- brave 용감한

Final Step

be동사 부정문과 의문문을 정리하기

1 다음 문장을 부정문과 의문문으로 쓰세요.(축약형으로 쓰지 마세요.)

정답 및 해설 p.28

- famous 유명한
- artist 예술가
- city 도시
- baseball 야구
- player 선수
- picture 사진
- popular 인기 있는
- Asia 아시아

01 They are in the classroom.

부정문 : They are not in the classroom.

의문문 : Are they in the classroom?

02 Jim and Cathy are famous artists.

부정문 : ______________________

의문문 : ______________________

03 There is a park in the city.

부정문 : ______________________

의문문 : ______________________

04 These cookies are mine.

부정문 : ______________________

의문문 : ______________________

05 He is a baseball player.

부정문 : ______________________

의문문 : ______________________

06 Those are my sheep.

부정문 : ______________________

의문문 : ______________________

07 There are many pictures in his room.

부정문 : ______________________

의문문 : ______________________

08 The actors are popular in Asia.

부정문 : ______________________

의문문 : ______________________

❷ 다음 빈칸에 알맞은 말을 넣어 의문문을 완성하세요.

정답 및 해설 p.28

01 ____Is____ your brother tall?

02 __________ there children in the theater?

03 __________ Jane and Jessica in your room?

04 __________ there a singer on the stage?

05 __________ your parents doctors?

06 __________ the river clean?

07 __________ these people your family?

08 __________ there a map on the wall?

09 __________ your sister diligent?

10 __________ those letters yours?

11 __________ your father handsome?

12 __________ you sleepy?

13 __________ your uncle a taxi driver?

14 __________ those women artists?

15 __________ this backpack brand-new?

- tall 키가 큰
- theater 영화관
- stage 무대
- river 강
- family 가족
- map 지도
- wall 벽
- diligent 부지런한
- handsome 잘생긴
- sleepy 졸린
- taxi driver 택시운전사
- artist 예술가
- backpack 배낭
- brand-new 신제품의

Exercise

15-16 Excellent 12-14 Good 9-11 Not bad 8 이하 Try Again

[1-3] 다음 중 잘못된 문장을 고르세요.

1 ① My parents are not doctors.
② These are not my sisters.
③ Jack is not a singer.
④ She and I am not students.
⑤ Jane is not honest.

1 주어가 복수이면 동사도 복수를 쓴다.

2 ① Is this your backpack?
② Is these pigs?
③ Is it your money?
④ Are the rivers clean?
⑤ Are those dogs fast?

2 backpack 배낭

3 ① This isn't my dog.
② They're not my parents.
③ She isn't a musician.
④ The store isn't big.
⑤ The computers isn't expensive.

3 musician 음악가
주어가 복수이면 동사도 복수를 씁니다.

4 **다음 문장에서 not이 들어갈 곳을 고르세요.**

There ① is ② a ③ singer ④ on the ⑤ stage.

4 stage 무대

[5-8] 다음 중 빈칸에 알맞은 말을 고르세요.

5

A: Are these your textbooks?
B: ______________________________

① Yes, it is. ② Yes, they are. ③ Yes, these are.
④ Yes, those are. ⑤ Yes, he is.

6

A: Is there a woman in the store?
B: ______________________________

① Yes, he is. ② Yes, it is. ③ Yes, they are.
④ Yes, there is. ⑤ Yes, those are.

7

A: Are you singers?
B: ______________________________

① Yes, I am. ② Yes, we are. ③ No, they are not.
④ No, it isn't. ⑤ Yes, you are.

8

A: ______________________________?
B: No, they aren't.

① Are Susan and Sara twins
② Is your mom a housekeeper
③ Is the sweater warm
④ Are you thirsty
⑤ Is Sam a student

Note

5 textbook 교과서

6 store 상점

7 Are you a singer?와 Are you singers?의 차이점을 생각해보세요.

8 sweater 스웨터
warm 따뜻한
thirsty 목마른

Exercise

[9–10] 다음 중 올바른 문장을 고르세요.

9 ① Tom and Sam isn't handsome.
② Is there a computer on the desk?
③ Is there flowers in the vase?
④ Is these books yours?
⑤ Are there a cup on the table?

9 vase 꽃병

10 ① We're not Koreans.
② That movie are not funny.
③ This milk are not my sister's.
④ These vegetables isn't fresh.
⑤ They are not my notebook.

10 Korean 한국사람

[11–12] 다음 보기의 우리말과 의미가 같은 것을 고르세요.

11

그들은 나의 반 친구들이 아니다.

① This is not my classmates.
② These are not my classmates.
③ Those is not my classmates.
④ They're not my classmates.
⑤ They are not my classmate.

11 classmate 반 친구

12

공원에 나무들이 있니?

① Is there a tree in the park?
② Are there a tree in the park?
③ Is there trees in the park?
④ Are they trees in the park?
⑤ Are there trees in the park?

12 park 공원

13 다음 문장을 부정문으로 바꾸세요.

These are his children.

→ ______________________________

14 다음 문장을 의문문으로 바꾸세요.

These puppies are yours.

→ ______________________________

[15-16] 빈칸에 들어갈 알맞은 말을 쓰세요.

15

A: Are these people Americans?
B: Yes, __________ __________.

→ ______________________________

16

A: Is there a vase on the table?
B: No, __________ __________.

→ ______________________________

Note

13 be동사의 부정문은 be동사 뒤에 not을 붙입니다.

14 be동사의 의문문은 be동사를 문장의 앞에 놓습니다.

15 people 사람들
American 미국사람

16 vase 꽃병

Review Test Chapter 1-8

1 다음 문장에서 형용사나 부사를 찾아 동그라미 하세요. Chapter 1

01 My daughter is cute.

02 She is a famous singer.

03 James is hungry.

04 He is a great musician.

05 Jane and Sam run fast.

06 James is so tired.

07 My room is dirty.

2 다음 문장에서 동사를 찾아 동그라미 하세요. Chapter 1

01 My cat is black.

02 I like his songs.

03 The bird has beautiful wings.

04 He feels good.

05 My sister is fat.

06 He and I are taxi drivers.

07 They sell grapes.

· famous 유명한 · musician 음악가 · dirty 더러운 · song 노래 · wing 날개 · taxi driver 택시운전사

정답 및 해설 p.29

③ 주어진 단어를 이용해 빈칸에 알맞은 말을 쓰세요. Chapter 2-3

01 She wants new ___glasses___. (glass)
그녀는 새로운 안경을 원한다.

02 There are two ______________ at the bus stop. (bus)
버스 정류장에 버스 두 대가 있다.

03 There are many ______________ on the hill. (deer)
언덕에 많은 사슴이 있다.

04 Jim drinks ____________________ coffee in the morning. (cup)
Jim은 아침에 커피 한 잔을 마신다.

05 She drinks three ____________________ of water every day. (glass)
그녀는 매일 물 세 잔을 마신다.

06 Sam needs some ______________. (cheese)
Sam은 약간의 치즈가 필요하다.

07 Three ______________ work in the office. (man)
세 남자가 사무실에서 일을 한다.

08 She has some ______________. (money)
그녀는 약간의 돈이 있다.

09 My mom has five ______________. (tomato)
나의 엄마는 토마토 다섯 개를 가지고 계시다.

10 There are five ______________ in the box. (cookie)
상자 안에 쿠키가 다섯 개 있다.

11 There are three ______________ in the park. (woman)
공원에 여성이 세 명 있다.

12 I have two ______________ of water. (bottle)
나는 물이 두 병 있다.

· bus stop 버스 정류장 · hill 언덕 · need 필요하다 · office 사무실

Review Test

4 다음 빈칸에 a 또는 an을 쓰세요. 필요 없으면 X표를 하세요. Chapter 4

01 My favorite subject is ___X___ science.

02 He plays baseball on _______ Saturday.

03 Jane is from _______ France.

04 She lives in _______ Chicago.

05 She has _______ long hair.

06 They play the guitar twice _______ week.

07 It is _______ interesting book.

08 Smith has _______ five dogs.

09 They eat some salads for _______ lunch.

10 They speak _______ Japanese.

11 Sara is _______ doctor.

12 My uncle has _______ two sons.

13 There is _______ table in the kitchen.

14 Jack has _______ uncle.

15 I like _______ apples very much.

Words
- subject 과목 · science 과학 · be from ~에서 오다 · live in ~에 살다 · Japanese 일본어
- kitchen 부엌 · very much 매우 많이

5 다음 빈칸에 알맞은 대명사를 쓰세요. Chapter 5

01 Sam is in the gym. ___He___ is a basketball player.

02 Mike is a student. _______ learns math.

03 Jim and John are honest. _______ are my friends.

04 Seoul is a big city. _______ is in Korea.

05 She and I are kind. _______ are doctors.

06 He and she are students. _______ go to school by subway.

6 다음 우리말을 보고 빈칸에 알맞은 말을 쓰세요. Chapter 6

01 ___She___ is so beautiful.
그녀는 매우 아름답다.

02 That is _______ book.
저것은 나의 책이다.

03 _______ uncle is from Korea.
그의 삼촌은 한국에서 왔다.

04 That chair is _______.
저 의자는 내 것이다.

05 This coin is _______.
이 동전은 너의 것이다.

06 He likes _______.
그는 그들을 좋아한다.

· gym 체육관 · learn 배우다 · honest 정직한 · famous 유명한

Review Test

7 주어진 단어를 이용해서 문장을 완성하세요. (필요하면 단어를 추가하거나 변경하세요.) Chapter 6-8

01 그들은 체육관에 있다. (be)
→ ___They are___ in the gym.

02 컵 세 개가 식탁 위에 있다. (cup, three)
→ ____________ on the table.

03 이 가방은 나의 것이 아니다. (not)
→ This bag is ____________.

04 Jessica는 가정주부가 아니다. (a housewife)
→ Jessica is ____________.

05 그의 방에 고양이 세 마리가 있다. (there, be, cat, three)
→ ____________ in his room.

06 저 야채들은 신선하다. (Those, be, vegetables)
→ ____________ fresh.

07 이 연필들은 너의 것이다. (be)
→ These pencils ____________.

08 Tom과 Jack은 주차장에 있다. (Tom and Jack, be)
→ ____________ in the parking lot.

09 이 도넛들은 내 남동생 것이다. (be, my brother)
→ These doughnuts ____________.

10 그들은 나의 부모님이 아니다. (not, be, my parents)
→ They ____________.

11 이 동전들은 Tom의 것이다. (be, Tom)
→ These coins ____________.

12 나는 그들의 수학선생님이다. (math, teacher, their)
→ I am ____________.

Words
· housewife 가정주부 · fresh 신선한 · parking lot 주차장 · doughnut 도넛 · math 수학

8 다음 문장을 부정문과 의문문으로 쓰세요. Chapter 8

01 Alice is in the park.

부정문: Alice is not(isn't) in the park.

의문문: Is Alice in the park?

02 These songs are popular in Korea.

부정문: ____________________

의문문: ____________________

03 There is a hotel in the town.

부정문: ____________________

의문문: ____________________

04 Those boats are his uncle's.

부정문: ____________________

의문문: ____________________

05 They are her classmates.

부정문: ____________________

의문문: ____________________

06 There are five fish in the pond.

부정문: ____________________

의문문: ____________________

07 Ellen is his math teacher.

부정문: ____________________

의문문: ____________________

08 Susan is a smart girl.

부정문: ____________________

의문문: ____________________

Achievement Test Chapter 5-8

[1-2] 다음 중 바르게 된 것을 고르세요.

1 ① his pencils → them
② your car → he
③ Mrs. Carter → him
④ Mr. Kim → She
⑤ My teacher → it

2 ① my students → us
② her notebooks → it
③ your friend → them
④ my parents and I → we
⑤ you and Jack → they

3 다음 중 밑줄 친 부분의 쓰임이 다른 것을 고르세요.

① This is my friend, Jane.
② This is my English teacher.
③ This is my book.
④ This is Jane.
⑤ This is my aunt.

4 다음 중 빈칸에 those(Those)가 들어 갈 수 없는 것을 고르세요.

① __________ toys are mine.
② He wants __________ cakes.
③ __________ cookies are my brother's.
④ I like __________ colors.
⑤ I need __________ milk.

[5-7] 다음 중 빈칸에 알맞지 않은 것을 고르세요.

5

This is __________ car.

① us ② Jenny's
③ his ④ her
⑤ my mother's

6

That cake is __________.

① his ② ours
③ Mike's ④ her
⑤ yours

7

It is __________ office.

① his ② our
③ your ④ my father's
⑤ theirs

8 다음 중 빈칸에 들어갈 말이 다른 것을 고르세요.

① Your sister __________ a designer.
② Mark __________ smart.
③ Jessica __________ a tall girl.
④ You __________ my friend.
⑤ My cousin __________ handsome.

[9-11] 다음 중 잘못된 문장을 고르세요.

9 ① Is his father a teacher?
② Is your sister a nurse?
③ Are your uncle a farmer?
④ Are these vegetables fresh?
⑤ Are the pants warm?

10 ① This is his room.
② I like this book.
③ He wants these pants.
④ These is her cars.
⑤ Those houses are expensive.

11 ① His name is James.
② My car is blue.
③ These pens are yours.
④ They are my glasses.
⑤ His is in the garden.

12 **다음 중 전환이 잘못된 것을 고르세요.**

① This is my bag. → This bag is mine.
② That is his book. → That book is his.
③ That is their horse. → That horse is theirs.
④ This is Mike's house. → This house is Mike.
⑤ That is her uniform. → That uniform is hers.

13 **다음 중 옳은 문장을 고르세요.**

① Mike is my friend.
② Your glasses is not in my room.
③ David and Cathy not are my friends.
④ Their are very expensive.
⑤ These cup are hers.

[14-15] 다음 중 빈칸에 들어갈 말로 짝지어진 것을 고르세요.

14

- __________ are singers.
- Tom likes __________.

① You - us ② He - them
③ They - we ④ We - they
⑤ She - me

15

- Jane is my sister. I love ________.
- Kate is my friend. ________ is kind.

① him - She ② her - She
③ it - He ④ him - He
⑤ them - it

16

- ________ is my father's cap.
- ________ students are from Korea.

① This - Those ② That - This
③ These - Those ④ Those - This
⑤ It - that

17 다음 중 밑줄 친 것을 대신할 수 있는 것을 고르세요.

You and your brother are very kind.

① We ② You ③ I
④ They ⑤ It

[18-19] 다음 중 빈칸에 알맞은 것을 고르세요.

18

Are _______ English teachers?

① Tom ② Michelle
③ he ④ Jenny and John
⑤ she

19

_______ good soccer players.

① She is ② You are
③ Jenny is ④ Tony is
⑤ I am

20 다음 중 밑줄 친 부분을 축약할 수 없는 것을 고르세요.

① I am not a boy.
② He is not happy.
③ We are not hungry.
④ You are not Korean.
⑤ They are not sleepy.

21 다음 중 밑줄 친 것의 쓰임이 다른 것을 고르세요.

① Jenny is a student.
② He is my cousin.
③ Jack is in the classroom.
④ John is a very smart boy.
⑤ She is a famous singer.

22 다음 중 부정문으로 바꿀 때 not이 들어갈 곳을 고르세요.

① My watch ② is ③ on ④ the ⑤ sofa.

23 다음 중 우리말을 바르게 쓴 것을 고르세요.

John은 정직한 학생이 아니다.

① John is not a honest student.
② John isn't an honest student.
③ John is not honest student.
④ John isn't a honest student
⑤ John is not honest students.

24 주어진 문장을 보기와 같이 바꾸세요.

This is an expensive car. → This car is expensive.

(1) That is a yellow car.
→ That _________ is _________.

(2) These are delicious apples.
→ These _________ are _________.

25 다음 우리말을 영어로 쓰세요.

(1) 당신은 학생입니까? (student)

→ ______________________________

(2) 그는 영리하지 않다. (smart)

→ ______________________________

26 다음 밑줄 친 부분을 축약형으로 쓰세요.

(1) <u>You are</u> beautiful.

→ ______________________________

(2) She <u>is not</u> a doctor.

→ ______________________________

(3) We <u>are not</u> good students.

→ ______________________________

27 다음 영어를 우리말로 쓰세요.

(1) This notebook is not mine.

→ ______________________________

(2) That cheese is my mother's.

→ ______________________________

[28-29] 빈칸에 들어갈 알맞은 말을 쓰세요.

28

A: Are these books yours?
B: Yes, _______ _______.

→ ____________ ____________

29

A: Are there two people in the room?
B: No, _______ _______.

→ ____________ ____________

30 빈칸에 들어갈 알맞은 말을 쓰세요.

There ______________ two cats under the table.

→ ______________________________

27-30 Excellent **22-26** Good **16-21** Not bad **15** 이하 Try Again

Grammar 1 mentor joy

정답 및 해설

Longman

Grammar mentor 1 joy

정답 및 해설

Chapter 01. 단어의 역할

Unit 01. 명사, 대명사, 동사, 형용사

Warm up

❶ 01. beautiful 02. like 03. she 04. is
❷ 01. computer 02. monkey
❸ 01. Korea 02. school

First Step

❶ 01. 동사 02. 동사 03. 명사 04. 대명사
05. 동사 06. 형용사 07. 대명사 08. 동사
09. 대명사 10. 형용사
❷ 01. 명사 02. 대명사 03. 동사 04. 명사
05. 형용사 06. 명사 07. 동사 08. 대명사
09. 명사 10. 동사

Second Step

❶ 01. am 02. are 03. eat
04. likes 05. is 06. walks
07. study 08. reads 09. have
10. run
❷ 01. book 02. teacher 03. computer
04. coffee 05. Cathy 06. Seoul
07. Michael 08. cat 09. water
10. soccer

Unit 02. 부사, 전치사, 접속사, 감탄사

Warm up

❶ 01. slowly 02. always 03. easily 04. very
❷ 01. in 02. at
❸ 01. or 02. but

First Step

❶ 01. 전치사 02. 접속사 03. 부사 04. 전치사
05. 전치사 06. 부사 07. 전치사 08. 부사
09. 접속사 10. 부사
[해설]
09. 문장과 문장을 이어주는 접속사이다.

❷ 01. 전치사 02. 전치사 03. 접속사 04. 전치사
05. 접속사 06. 부사 07. 전치사 08. 부사
09. 전치사 10. 접속사

Second Step

❶ 01. O 02. X 03. O 04. O 05. O
06. X 07. X 08. O 09. X 10. O
❷ 01. O 02. X 03. X 04. X 05. O
06. O 07. X 08. O 09. O 10. X

Exercise

01. ③ 02. ① 03. ④ 04. ②
05. ④ 06. ③ 07. ⑤ 08. (1) 부사 (2) 접속사

[해석 및 해설]
01. *③ 모두 동사
02. *① 모두 동사
03. 우리는 7시에 저녁을 먹는다.
04. 그들은 교실 안에 있다.
05. *bears는 명사이다.
① 그녀는 나의 이모이다.
② 그들은 영어를 배운다.
③ 우리는 빵을 먹는다.
④ 그 동물들은 곰이다.
⑤ 내 친구는 초콜릿을 좋아한다.
06. *apples는 명사이고 나머지는 형용사이다.
① 그녀는 아름답다.
② 그들은 정직하다.
③ 나는 사과를 좋아한다.
④ 그 자동차는 새것이다.
⑤ 내 남동생은 잘생겼다.
07. ① 그 책이 책상 위에 있다.
② 그들은 공원에 있다.
③ 나는 7시에 일어난다.
④ 나는 내 인형들을 가지고 논다.
⑤ 그녀와 나는 같은 반 친구이다.
08. (1) Simson은 매우 키가 크다. *very는 형용사 tall을 수식하는 부사이다.
(2) Simson과 Jackson은 내 친구들이다.

Chapter 02. 명사 I

Unit 01. 셀 수 있는 명사의 특징과 규칙 변화

Warm up

1	son	아들	16	student	학생
2	hobby	취미	17	toy	장난감
3	roof	지붕	18	friend	친구
4	church	교회	19	parents	부모
5	fox	여우	20	market	시장
6	cucumber	오이	21	library	도서관
7	zoo	동물원	22	mouse	쥐
8	monkey	원숭이	23	country	국가
9	story	이야기	24	candy	사탕
10	flower	꽃	25	question	질문
11	eraser	지우개	26	idea	생각
12	pen	펜	27	notebook	공책
13	egg	달걀	28	computer	컴퓨터
14	bench	벤치, 의자	29	brush	붓, 솔
15	ax	도끼	30	desk	책상

First Step

❶ girl, friend, pencil, book, cup, day, student, boy, car

❷ bus, bench, brush, party, city, box, church, dish, hobby, ax, story

❸ 01. girls 02. pens 03. parties
04. buses 05. brushes 06. cities
07. hobbies 08. toys 09. monkeys
10. zoos 11. eggs 12. umbrellas
13. horses 14. ladies 15. days

[해설]
05. sh로 끝나는 명사는 es를 붙인다.
06. 「자음+y」로 끝나는 명사는 y를 i로 바꾸고 es를 붙인다.
08. 「모음+y」로 끝나는 명사는 그냥 s를 붙인다.

Second Step

❶ 01. 의자, benches 02. 접시, dishes
03. 버스, buses 04. 소년, boys
05. 도시, cities 06. 자전거, bicycles
07. 책, books 08. 컴퓨터, computers
09. 침대, beds 10. 건물, buildings
11. 다리, legs 12. 파티, parties
13. 인형, dolls 14. 등, lamps
15. 꽃, flowers

[해설]
05. 「자음+y」로 끝나는 명사는 y를 i로 바꾸고 es를 붙인다.

❷ 01. 학생, students 02. 시계, watches
03. 사진기, cameras 04. 해변, beaches
05. 도끼, axes 06. 반지, rings
07. 쿠키, cookies 08. 배, boats
09. 모자, hats 10. 도서관, libraries
11. 상자, boxes 12. 별, stars
13. 병원, hospitals 14. 교회, churches
15. 창문, windows

[해설]
02. ch로 끝나는 명사는 es를 붙인다.
05. x로 끝나는 명사는 es를 붙인다.
10. 「자음+y」로 끝나는 명사는 y를 i로 바꾸고 es를 붙인다.

Third Step

01. arms 02. book 03. bags
04. wheels 05. boxes 06. doctor
07. cities 08. computers 09. apples
10. legs 11. student 12. ladies
13. pencils 14. bananas 15. cat

[해설]
01. 명사 앞에 나오는 수사 two를 확인하고 복수형으로 만든다.

Writing Step

01. three daughters 02. Three students
03. five carrots 04. five libraries
05. two bananas 06. an apple
07. five boxes 08. a student

09. four seats　　10. Three lions
11. two sons　　12. three sandwiches

Unit 02. 명사의 변화

Warm up

1	leaf	나뭇잎	16	wolf	늑대
2	deer	사슴	17	wife	부인
3	woman	여성	18	knife	칼
4	hero	영웅	19	child	아이
5	goose	거위	20	tooth	이(치아)
6	foot	발	21	roof	지붕
7	piano	피아노	22	gloves	장갑
8	kangaroo	캥거루	23	sheep	양
9	man	남자, 인류	24	tomato	토마토
10	photo	사진	25	glasses	안경
11	ox	황소	26	pants	바지
12	potato	감자	27	jeans	청바지
13	thief	도둑	28	fish	물고기
14	cake	케이크	29	scissors	가위
15	daughter	딸	30	zoo	동물원

First Step

❶ wolf, knife, leaf, wife, shelf

[해설]
f나 fe로 끝나는 명사는 f를 v로 바꾸고 es를 붙인다.

❷ goose, woman, child, tooth, foot, mouse

❸ 01. potatoes　02. deer　03. teeth
04. wolves　05. tomatoes　06. roofs
07. children　08. knives　09. feet
10. leaves　11. geese　12. oxen
13. sheep　14. fish　15. thieves

[해설]
01. 「자음+o」로 끝나는 대부분의 명사는 es를 붙인다.
04. f나 fe로 끝나는 명사는 f를 v로 바꾸고 es를 붙인다.
05. 「자음+o」로 끝나는 대부분의 명사는 es를 붙인다.
06. roof는 예외로 s만 붙인다.
13. sheep는 단수와 복수 형태가 같다.

Second Step

❶ 01. 감자, potatoes　02. 토마토, tomatoes
03. 부인, wives　04. 선반, shelves
05. 남자/인류, men　06. 여자, women
07. 아이, children　08. 이(치아), teeth
09. 사슴, deer　10. 쥐, mice
11. 여우, foxes　12. 경찰관, policemen
13. 동물원, zoos　14. 사진, photos
15. 나비, butterflies

❷ 01. sheep　02. children　03. fish
04. women　05. teeth　06. jeans
07. scissors　08. geese　09. glasses
10. deer　11. socks　12. babies
13. feet　14. mice　15. men

[해설]
두 개로 갈라져 한 쌍을 이루는 명사는 복수형태만을 취한다.

Third Step

01. pants　02. glasses　03. sheep
04. women　05. wolves　06. tomatoes
07. oranges　08. deer　09. nurse
10. children　11. knives　12. pencils

[해설]
02. 안경처럼 두 개로 갈라져 한 쌍을 이루는 명사는 복수 형태만을 취한다.
03. sheep는 단수와 복수 형태가 같다.
06. 「자음+o」로 끝나는 명사는 es를 붙인다.
08. 단수와 복수 형태가 같다.

Writing Step

01. has two deer　02. Three children
03. have five oxen　04. Six men
05. has five parks　06. has three blue jeans
07. has four legs　08. eight windows
09. Three geese　10. yellow pants
11. two feet　12. six tomatoes

Final step

❶ 01. cats　02. men　03. eyes

04. pants 05. children 06. geese
07. cameras 08. potatoes 09. phones
10. chairs 11. cousins 12. monkeys

❷ 01. bottles 02. deer 03. knives
04. potatoes 05. box 06. cities
07. rooms 08. sheep 09. pants
10. teeth 11. children 12. ax
13. arms 14. glasses 15. shoes

[해석 및 해설]

01. 나의 아버지는 병이 다섯 개 있다.
02. 농장에 사슴이 세 마리 있다.
*단수와 복수가 같은 명사
03. 식탁에 칼이 다섯 개 있다.
*f 또는 fe로 끝나는 명사는 f(e)를 ves로 바꾼다.
04. 나는 감자가 다섯 개 필요하다.
05. 그녀는 상자가 하나 있다.
*s, x, sh, ch로 끝나는 명사는 es를 붙인다.
06. 우리는 일곱 개의 도시를 방문한다.
*「자음+y」로 끝나는 명사는 y → ies
07. 그 집은 방이 네 개다.
08. 들판에 세 마리 양이 있다. *단수와 복수가 같은 명사
09. James는 빨간색 반바지가 있다.
*한 쌍을 이루는 명사는 복수형태만을 취한다.
10. 그 아기는 이가 두 개이다.
11. 그녀는 아이가 다섯이다.
12. 나의 삼촌은 도끼가 하나 있다.
13. 우리는 팔이 두 개다.
14. 나의 영어 선생님은 안경을 쓰신다.
*한 쌍을 이루는 명사는 복수형태만을 취한다.
15. 나는 새로운 신발이 필요하다.
*두 짝이 필요하므로 복수가 되어야 한다.

Exercise

01. ③ 02. ④ 03. ⑤ 04. ② 05. ④ 06. ④
07. ① 08. ③ 09. ③ 10. ④ 11. ③ 12. ⑤
13. knives 14. teeth 15. tomatoes
16. (1) feet (2) churches (3) oxen (4) wives
(5) deer

[해석 및 해설]

01. *「자음+y」로 끝나는 명사는 y를 i로 바꾸고 es를 붙인다.
02. *fe로 끝나는 명사는 fe를 지우고 ves를 붙인다.
03. *foot의 복수형은 feet이다.
04. *x로 끝나는 명사는 es를 붙인다.
05. *geese의 단수형은 goose이다.
06. 우리는 다섯 명의 어린이들이 필요하다.
*five 다음에는 복수형이 와야 한다.
07. 그들은 집이 두 채이다.
*two 다음에는 복수형이 와야 한다.
08. James는 청바지를 입는다.
09. ① 우리는 방이 두 개 필요하다.
② 그는 토마토가 다섯 개 있다.
③ 나의 삼촌은 사슴이 세 마리 있다.
④ 바구니에 사과 세 개가 있다.
⑤ 나는 두 개의 모니터를 사용한다.
*deer의 복수형은 deer이다.
10. ① Kevin은 책이 두 권 있다.
② 나는 사과를 좋아한다.
③ 그는 다섯 개의 지우개를 원한다.
④ 고양이 두 마리가 식탁 밑에 있다.
⑤ 엄마는 감자 세 개가 필요하다.
*Two cat → Two cats로 바꿔야 한다.
11. ① 남동생은 모자가 두 개 있다.
② Lynda는 선생님이다.
③ Jack은 세 명의 여성을 가르친다.
④ 그 집은 창문이 여섯 개 있다.
⑤ 동물원에 많은 양이 있다.
*woman의 복수형은 women이다.
12. *「자음+y」로 끝나는 명사는 y를 i로 바꾸고 es를 붙인다.
13. *two 다음에는 복수형이 와야 한다.
14. *tooth의 복수형은 teeth이다.

Chapter 03. 명사 II

Unit 01. 셀 수 없는 명사와 특징

Warm up

1	air	공기	16	food	음식
2	meat	고기	17	love	사랑
3	tea	(마시는) 차	18	coffee	커피

4 bread	빵	19 peace	평화
5 paper	종이	20 oil	기름
6 rice	쌀, 밥	21 furniture	가구
7 soup	수프	22 history	역사
8 friendship	우정	23 January	1월
9 happiness	행복	24 rain	비
10 homework	숙제	25 cheese	치즈
11 sugar	설탕	26 December	12월
12 soccer	축구	27 science	과학
13 baseball	야구	28 flour	밀가루
14 basketball	농구	29 math	수학
15 music	음악	30 hair	머리카락

First Step

❶ 01. milk / water 02. Korea / peace
03. coffee / rice 04. flour / meat
05. juice / money 06. tea / love
07. salt / sugar 08. hair / friendship
09. rice / oil 10. July / Seoul
11. gold / Mike 12. cheese / bread
13. soup / money 14. science / history
15. rain / snow

❷ 01. oil / salt 02. butter / Korean
03. Seoul / November 04. love / friendship
05. English / math 06. coffee / gas
07. soccer / rain 08. Canada / Mike
09. water / September 10. bread / peace
11. furniture / paper 12. soup / food
13. rice / flour 14. money / tea
15. May / gold

Second Step

❶ 01. furniture 02. milk 03. bread
04. glasses 05. hair 06. Mike
07. science 08. money 09. London
10. butter 11. shoes 12. soup
13. English 14. a scientist 15. coffee

[해석 및 해설]
01. 그들은 가구를 판다.
*furniture는 셀 수 없는 명사이다.
02. 그녀는 매일 우유를 마신다.
03. 그들은 아침식사로 빵을 먹는다.
04. Sam은 안경을 쓴다.
05. 내 고모(이모)는 머리카락이 길다.
06. 우리는 Mike를 안다.
07. 내 누나(여동생)는 과학을 배운다.
08. 나는 돈이 필요하다.
09. 그녀는 런던에서 산다. *도시명은 대문자로 시작한다.
10. 나는 버터를 조금 원한다.
11. 아버지는 신발이 필요하시다.
*한 쌍을 이루는 명사는 복수형태만을 취한다.
12. Jessica는 아침에 수프를 먹는다.
13. 나는 일요일에 영어를 공부한다.
14. 내 사촌은 과학자이다.
15. 엄마는 매일 커피를 마신다.

❷ 01. Seoul 02. cheese 03. ×
04. basketball 05. coffee 06. money
07. John 08. Japanese 09. ×
10. history 11. Canada 12. air
13. water 14. × 15. tea

[해석 및 해설]
01. 나의 친구들은 서울에 산다.
02. 나의 남동생은 치즈를 좋아한다.
03. 그들은 일곱 마리 양이 있다. *sheep은 셀 수 있는 명사이나 단수와 복수형이 같다.
04. 나는 체육관에서 농구를 한다.
05. 그는 커피를 마신다.
06. 나는 돈이 좀 있다.
07. 나는 나의 친구 John을 좋아한다.
*사람 이름은 셀 수 없는 명사이다.
08. 그들은 학교에서 일본어를 배운다.
09. 나의 아버지는 큰 개가 있으시다.
*dog는 셀 수 있는 명사이다.
10. 내가 좋아하는 과목은 역사이다.
11. 그들은 캐나다에서 왔다.
*나라, 도시 이름은 셀 수 없는 명사이다.
12. 우리는 공기가 필요하다.
13. 그녀는 차가운 물을 원한다.
14. 세 마리 사슴이 농장에 있다. *deer은 셀 수 있는 명사이나 단수와 복수형이 같다.
15. 나의 어머니는 매일 차를 드신다.

Third Step

01. musics → music 02. golfs → golf
03. doughnut → doughnuts
04. snows → snow 05. coffees → coffee
06. deers → deer 07. a Paris → Paris
08. a rice → rice
09. A New York → New York
10. sugars → sugar 11. milks → milk
12. a Chinese → Chinese
13. A Jessica → Jessica
14. a March → March 15. hairs → hair

[해석 및 해설]
02. *셀 수 없는 명사 golf는 복수형이 없다.
04. *셀 수 없는 명사 snow는 복수형이 없다.
06. *deer은 셀 수 있는 명사이나 단수와 복수형이 같다.
07. *셀 수 없는 명사 앞에는 부정관사 a를 쓸 수 없다.
08. *셀 수 없는 명사 앞에는 부정관사 a를 쓸 수 없다.
09. *셀 수 없는 명사 앞에는 부정관사 a를 쓸 수 없다.
10. *셀 수 없는 명사 앞에는 부정관사 a를 쓸 수 없다.
11. *셀 수 없는 명사 milk는 복수형이 없다.
12. *셀 수 없는 명사 앞에는 부정관사 a를 쓸 수 없다.
13. *셀 수 없는 명사 앞에는 부정관사 a를 쓸 수 없다.
14. *셀 수 없는 명사 앞에는 부정관사 a를 쓸 수 없다.

Writing Step

01. live in China 02. likes snow
03. flowers in March 04. five children
05. are from Germany 06. eats bread
07. put salt 08. has flour
09. is soccer 10. want peace
11. is math
12. drinks coffee in the morning

Unit 02. 셀 수 없는 명사의 표현 방법

Warm up

01. glass 02. cups 03. glasses
04. slices 05. bottles 06. loaf
07. sheets 08. piece 09. bags
10. glasses 11. bowl 12. bag
13. piece 14. glasses 15. slices

First Step

❶ 01. 물 한 잔 02. 종이 다섯 장
03. 주스 두 병 04. 주스 두 잔
05. 커피 두 잔 06. 쌀 네 자루
07. 밥 세 그릇 08. 물 한 병
09. 밀가루 한 부대 10. 케이크 세 조각
11. 와인 다섯 병 12. 와인 한 잔
13. 치즈 두 조각 14. 피자 다섯 조각
15. 차 네 잔

❷ 01. cups of coffee 02. bottles of water
03. pieces(slices) of cake
04. sheets of paper
05. pieces(slices) of pizza
06. bowls of soup 07. loaves of meat
08. bags of salt
09. pieces(slices) of cheese
10. cups of tea 11. bowls of cereal
12. sheets of glass 13. bottles of juice
14. glasses of milk 15. loaves of bread

Second Step

❶ 01. loaves 02. bag 03. cup
04. pieces 05. bottle 06. bags
07. piece 08. sheet 09. sheets
10. glasses 11. bottles 12. bowl

❷ 01. glass 02. sheets 03. bottles
04. glasses 05. cups 06. bags
07. bowls 08. bottle 09. bag
10. pieces 11. loaves 12. cup

Third Step

01. glass　02. sheets　03. cheese
04. bottles　05. pieces(slices)　06. water
07. loaves　08. bottles　09. pieces(slices)
10. bowls　11. salt　12. glasses
13. advice　14. pizza　15. coffee

[해설]
05. *조각은 piece와 slice를 모두 쓴다.

Writing Step

01. two pieces of pizza
02. two bags of salt
03. two cups of tea
04. three glasses of milk
05. a bottle of water
06. three loaves of bread
07. two bowls of soup
08. three glasses of orange juice
09. four slices of cheese
10. five sheets of paper
11. a slice of pizza
12. two bowls of rice

Final step

❶ 01. sugar　02. bread　03. March
04. meat　05. Canada　06. math
07. money　08. English　09. November
10. salt　11. water　12. cheese

❷ 01. glasses　02. sheet　03. cheese
04. bottles　05. pieces(slices)　06. glasses
07. loaves　08. bag　09. pieces(slices)
10. bottles　11. glass　12. cups

Exercise

01. ①　02. ②　03. ④　04. ⑤　05. ③　06. ③
07. ①　08. ④　09. ⑤　10. ③　11. ③　12. ③
13. (1) 치즈 한 조각　(2) 피자 세 조각　(3) 차 한 잔
(4) 수프 한 그릇 (5) 우유 두 잔
14. (1) bottle (2) loaves　15. bowl　16. sheets

[해석 및 해설]
04. *bag은 셀 수 있는 명사이고, 국가 이름은 셀 수 없는 명사이다.
05. 그녀는 아침에 차 한 잔을 마신다. *a cup of tea 차 한 잔 *cup은 뜨거운 음료를 표현할 때 주로 사용한다.
06. Jack은 차가운 물 한 병이 필요하다.
07. 나는 매일 우유를 두 잔 마신다.
08. 나는 한 조각의 피자를 원한다.
/ 그녀는 충고 한마디가 필요하다.
09. 나는 주스 한 잔을 원한다.
/ 그는 매일 밤 와인 한 잔을 마신다.
10. ① 엄마는 설탕 한 자루[부대]가 필요하다.
② 그들은 물 한 병을 원한다.
③ 우리는 치즈 두 조각이 필요하시다.
④ 나는 매일 커피 두 잔을 마신다.
⑤ 그는 피자 세 조각을 먹는다.
*two bowls of cheese를 two pieces(slices) of cheese로 고쳐야 한다.
11. ① 아버지는 피자 두 조각이 있으시다.
② 나는 아침식사로 수프 한 그릇을 먹는다.
③ 우리는 소금 두 자루[부대]가 필요하다.
④ 그녀는 매일 주스 한 잔을 마신다.
⑤ 그 남자는 맥주 한 병이 필요하다.
*salt는 셀 수 없는 명사이므로 복수형을 취할 수 없다.
12. ① 나는 음악을 좋아한다.
② 우리는 매일 치즈를 먹는다.
③ 나는 역사를 좋아한다.
④ 그녀는 눈을 좋아한다.
⑤ 그는 Susan을 안다.
*학교 과목은 셀 수 없는 명사이다.
14. *a glass of juice는 a bottle of juice로 고쳐야 한다.

Chapter 04. 관사

Unit 01. 부정관사

Warm up

❶ orange, watch, elephant, tiger, hour, country, potato, angel, store, bird, shoulder, magazine, bike, girl, school, building, lamp, pen, year, sister

❷ Seoul, tigers, countries, Japanese, chairs, babies, salt, Korea, rice, meat, money, pencils, brothers, sugar

First Step

❶
01. an	02. a	03. a	04. x	05. x
06. x	07. a	08. a	09. x	10. x
11. an	12. a	13. a	14. an	15. a
16. an	17. a	18. x	19. a	20. an
21. a	22. x	23. x	24. an	25. a
26. an	27. a	28. an	29. a	30. an

❷
01. a	02. an	03. an	04. an	05. a
06. x	07. a	08. a	09. x	10. x
11. a	12. an	13. a	14. x	15. x
16. a	17. x	18. x	19. x	20. x
21. a	22. an	23. a	24. x	25. a
26. a	27. x	28. an	29. a	30. a

Second Step

❶
01. a	02. x	03. a	04. a	05. an
06. x	07. a	08. x	09. a	10. x
11. x	12. x	13. a	14. x	15. an

[해석 및 해설]

01. 나는 고양이를 가지고 있다.
02. Jessica는 쿠키 세 개를 먹는다.
*수사 앞에는 a가 오지 않는다.
03. 그녀는 아름다운 소녀이다. *단수명사와 함께 사용된 형용사 앞에 관사가 온다.
04. 그들은 일주일에 한 번 야구를 한다.
05. Jack은 정직한 사람이다. *honest에서 h는 발음이 되지 않으므로 an을 붙인다.
06. 그들은 호랑이가 두 마리 있다.
07. 그는 피아니스트이다.
08. 나는 개를 좋아한다.
09. 그녀는 검은색 개가 있다.
10. 그것들은 동물이다.
11. 우리는 한국에 산다.
12. 그 농장은 일곱 마리 당나귀가 있다.
13. Sara는 의사이다.
14. 우리는 바나나를 좋아한다.
15. 그는 오래된 집을 가지고 있다.

❷
01. an	02. x	03. a	04. x	05. x
06. an	07. x	08. x	09. a	10. x
11. x	12. x	13. a	14. an	15. x

[해석 및 해설]

01. James는 재미있는 책이 있다.
*모음 앞에 an이 붙는다.
02. 그는 매일 야구를 한다.
*운동 이름 앞에 관사를 붙이지 않는다.
03. 내 누나(여동생)는 학생이다.
04. 나는 중국에서 산다.
*나라 이름 앞에 관사를 붙이지 않는다.
05. 그녀는 머리카락이 길다. *너무 많아 셀 수 없는 명사 앞에는 관사를 붙이지 않는다.
06. 그들은 한 시간 동안 기타를 친다. *hour에서 h는 소리가 나지 않기 때문에 an이 온다.
07. 그들은 정직한 학생들이다. *복수명사 앞에는 부정관사를 붙이지 않는다.
08. Smith 씨는 차가 두 대 있다.
09. 내 삼촌은 일주일에 두 번 그녀를 방문한다.
*twice a week 일주일에 두 번
10. 내가 좋아하는 스포츠는 축구이다.
11. 내가 좋아하는 과목은 역사이다.
*과목 이름 앞에는 관사를 붙이지 않는다.
12. 내 삼촌은 부산에서 산다.
*도시 이름 앞에는 관사를 붙이지 않는다.
13. 내 누나(여동생)는 아름다운 드레스가 있다.
14. Jane은 삼촌이 있다.
*모음으로 시작하는 명사 앞에 an이 온다.
15. 그 집은 창문이 일곱 개 있다.

Third Step

01. a	02. three libraries
03. Korean	04. an interesting
05. animals	06. a new car
07. A bird	08. three sisters
09. Busan	10. fast horses
11. a great artist	12. an island

Writing Step

01. a doctor
02. like fruits

03. is a tiger 04. need a computer
05. an honest student
06. the piano once a day
07. a white cat 08. have an aunt
09. an old car 10. needs an orange
11. a new cell phone 12. An hour

Unit 02. 정관사

Warm up

❶ moon, sun, earth, piano, north, east, west, sky, guitar

[해설]
세상에 하나 밖에 없는 것, 악기 이름 앞에, 위치나 방향 앞에 그리고 아침, 오후, 저녁을 표현할 때 the를 붙여야 한다.

❷ soccer, lunch, golf, tennis, English, dinner, Korean, London, November, China

[해설]
운동 이름, 식사 이름, 과목 이름 앞이나 언어, 사람 이름, 요일, 달 이름 앞에는 the를 붙이지 않는다.

First Step

❶ 01. the 02. the 03. x 04. the
05. the 06. the 07. x 08. The
09. the 10. x 11. the 12. x
13. the 14. x 15. the

[해석]
01. 나는 매일 첼로를 연주한다.
02. 서점은 왼쪽에 있다.
03. 그들은 일본어를 한다.
04. 하늘을 보아라.
05. 태양은 서쪽으로 진다.
06. 그 새들은 남쪽으로 날아간다.
07. 나는 야구를 좋아한다.
08. 오늘밤 달이 무척 밝다.
09. Susan은 방과 후 기타를 연주한다.
10. 나는 토요일에 나의 차를 닦는다.
11. 지하철은 오른쪽에 있다.
12. 우리는 월요일에 영어를 배운다.
13. Susan은 피아노를 연습한다.
14. 내 생일은 10월 달이다.
15. 그 백화점은 저녁에 닫는다.

❷ 01. x 02. x 03. x 04. x
05. x 06. the 07. the 08. the
09. the 10. x 11. the 12. x
13. the 14. the 15. the

[해석]
01. 우리는 중국어를 배운다.
02. 우리는 일요일에 TV를 본다.
03. 내 여동생은 학교에서 수학을 배운다.
04. 12월은 춥다.
05. 캐나다는 큰 나라이다.
06. 세상에는 아름다운 산이 많이 있다.
07. Mina는 일주일에 한 번 피아노 연습을 한다.
08. 제주도는 한국의 남쪽에 있다.
09. 우리는 지구에 산다.
10. 나는 Mike를 사랑한다.
11. 우리는 오후에 1시간씩 걷는다.
12. 그들은 7시에 저녁을 먹는다.
13. 그는 아침에 수학 수업이 있다.
14. 소금 좀 건네 주세요.
15. 그 비행기는 동쪽으로 날아간다.

Second Step

❶ 01. the 02. the 03. The 04. the
05. x 06. the 07. the 08. x
09. x 10. x 11. The 12. x
13. the 14. a, The 15. a, The

[해석 및 해설]
01. 우리는 지구에 산다.
02. 하늘을 보아라.
03. 세상은 둥글다.
04. 그는 바이올린을 연주한다.
05. 우리는 7시에 저녁을 먹는다.
*식사 이름 앞에는 the를 붙이지 않는다.
06. 그들은 아침에 축구를 한다.
07. 역은 왼쪽에 있다.
08. 그녀는 역사를 가르친다.
09. 그들은 정오에 점심을 먹는다.
10. 그들은 영어를 한다.
11. 달은 밤에 빛난다.

12. 내가 좋아하는 운동은 농구다.
13. 태양은 동쪽에서 떠오른다.
14. Jane은 고양이가 있다. 그 고양이는 귀엽다.
*정해진 특정한 것을 언급할 때는 the를 붙인다.
15. 그는 책이 있다. 그 책은 재미있다.

❷ 01. x　02. the　03. x　04. x
05. x　06. The　07. the　08. the
09. the　10. The　11. The　12. the
13. the　14. x　15. the

[해석 및 해설]
01. 우리는 점심식사로 피자를 먹는다.
*식사 이름 앞에 관사를 붙이지 않는다.
02. 그들은 오후에 피아노를 친다.
*아침, 오후, 저녁을 표현할 때 the를 붙인다.
03. 내 누나(여동생)는 역사를 좋아한다.
*과목 이름 앞에 관사를 붙이지 않는다.
04. 우리는 프랑스어를 배운다.
05. Donovan은 8시에 아침을 먹는다.
06. 그녀는 차가 있다. 그 차는 노란 색이다.
*앞에 나온 명사를 반복할 때는 정관사가 온다.
07. 그 병원은 오른쪽에 있다.
*위치, 방향 앞에 the를 붙인다.
08. 하늘에 있는 구름을 봐라.
*세상에 하나밖에 없을 때는 정관사가 온다.
09. 그들은 프랑스 북쪽에 산다.
10. 태양은 매우 크다.
11. 그는 자전거가 있다. 그 자전거는 코너에 있다.
12. 창문을 열어 주세요.
*특정한 것을 가리킬 때 the를 붙인다.
13. 내 누나(여동생)는 밤에 플루트를 연주한다.
*악기 이름 앞에는 the를 붙이다.
14. 그 박물관은 서울에 있다.
*도시 이름 앞에는 관사를 붙이지 않는다.
15. Philip은 오후에 TV를 본다.

Third Step

01. music　02. basketball　03. English
04. in the sky　05. dinner　06. The pencil
07. an honest　08. the west　09. the north
10. on the earth　11. in the morning
12. the window　13. volleyball　14. lunch
15. the moon

[해석 및 해설]
01. 내가 좋아하는 과목은 음악이다.
*과목 이름 앞에 관사를 붙이지 않는다.
02. 우리는 밤에 농구를 한다.
03. 내 여동생(누나)은 영어를 배운다.
04. 비행기는 하늘을 난다.
*세상에 하나밖에 없을 때는 정관사가 온다.
05. Jackson은 8시에 저녁을 먹는다.
*식사 이름 앞에 관사를 붙이지 않는다.
06. 내 여동생은 연필이 있다. 그 연필은 파란색이다.
07. Cindy는 정직한 소녀이다.
08. 그 기차는 서쪽으로 간다.
*방향을 나타내는 말에는 정관사가 온다.
09. 나의 친구들은 캐나다 북쪽에 산다.
10. 많은 동물들이 지구에 산다.
11. 그는 아침에 수프 한 그릇을 먹는다.
*아침, 오후, 저녁을 표현할 때 the가 온다.
12. 창문을 닫아 주세요.
*특정한 것을 가리킬 때 the를 붙인다.
13. 그들은 매일 배구를 한다.
14. 우리는 점심식사로 샌드위치를 먹는다.
15. 달을 봐라.

Writing Step

01. in the morning　02. by subway
03. live in the world　04. close the door
05. an expensive watch　06. play the guitar
07. live in the east　08. The cat
09. an interesting book　10. open the window
11. many stars in the sky　12. look at the picture

Final step

❶ 01. an hour　02. in the afternoon
03. the east　04. a teacher
05. The computer　06. in the morning
07. the left　08. the window
09. the piano　10. the sky
11. a day　12. an actor

❷ 01. a　02. a　03. a　04. the
05. The　06. an　07. a　08. the

09. the 10. a 11. a 12. The

Exercise

01. ④ 02. ⑤ 03. ④ 04. ② 05. ② 06. ③
07. ④ 08. ⑤ 09. ② 10. ③ 11. ③ 12. ④
13. ③ 14. (1) The (2) the (3) an
15. a science → science
16. in afternoon → in the afternoon

[해석 및 해설]

01. ① 그는 치과의사다.
② Jane은 아름다운 드레스가 있다.
③ 나는 피자 한 조각을 먹는다.
④ 그녀는 피아노를 친다.
⑤ 우리는 지구에 산다.
*악기 앞에는 정관사 the가 온다.

02. ① 그들은 방과 후 축구를 한다.
② 우리는 공책이 필요하다.
③ 나는 일본어를 배운다.
④ 나는 서울에 산다.
⑤ 그는 골프를 한다.
*golf는 운동 이름이므로 관사가 오지 않는다.

03. ① 그는 8시에 저녁을 먹는다.
② 우체국은 오른쪽에 있다.
③ 지구는 둥글다.
④ Jack은 정직한 사람이다.
⑤ 창문을 좀 닫아 주세요.
*honest에서 h는 묵음이다.

04. 코끼리는 매우 큰 동물이다. / 우리는 매일 바이올린을 연주한다. *악기 앞에는 the가 온다.

05. 우리는 한 시간 동안 야구연습을 한다.
*hour에서 h는 묵음이다.

06. 나의 여동생은 애완동물이 있다. 그 애완동물은 고양이다. *앞에 나온 명사를 반복할 때는 정관사가 온다.

07. 내가 좋아하는 과목은 음악이다.
*과목 이름 앞에는 관사가 필요 없다.

08. ① 그는 변호사이다.
② 내 여동생은 학생이다.
③ 나는 여동생이 한 명 있다.
④ Jack은 위대한 피아니스트이다.
⑤ 문을 닫아 주세요.
*특정한 것을 가리킬 때는 the를 붙인다.

09. ① Sam은 피아노를 연주한다.
② 그는 영어로 말을 잘한다.
③ 태양은 동쪽에서 뜬다.
④ 나는 아침에 산책을 한다.
⑤ 소금을 좀 건네 주세요.
*언어, 사람 이름 앞에는 관사가 오지 않는다.

10. ① 나는 배구를 좋아한다.
② 그는 점심식사로 스파게티를 먹는다.
③ 아버지는 오래된 차를 가지고 계신다.
④ 그들은 중국어를 한다.
⑤ 나는 역사를 좋아한다.
*car는 셀 수 있는 단수 명사로 형용사와 함께 오면 형용사 앞에 a/an이 온다.

11. ① 하늘의 별들을 봐라.
② 문을 닫아 주세요.
③ 나는 내 오빠(남동생)와 테니스를 친다.
④ 많은 동물들이 지구에 산다.
⑤ 그 새들은 동쪽으로 날아간다.
*운동 경기 앞에는 관사가 오지 않는다.

12. 그는 점심식사로 햄버거를 먹는다.
*빈칸 앞에 a가 있으므로 셀 수 없는 명사는 올 수 없다.

13. ① 내 여동생은 중국에 산다.
② 우리는 물이 필요하다.
③ 그는 노란 차를 가지고 있다.
④ 그가 좋아하는 운동은 테니스이다.
⑤ 나는 재미있는 이야기를 안다.
*car는 셀 수 있는 단수명사로 형용사와 함께 오면 형용사 앞에 a/an이 온다. water는 셀 수 없는 명사이다.

14. (1) 그는 차가 있다. 그 차는 매우 오래됐다.
(2) 책을 건네 주세요.
(3) 이것은 비싼 시계이다.
*서로 알고 있는 특정 명사 앞에는 정관사 the가 온다.

15. *과목 이름 앞에 관사가 오지 않는다.

Review Test (Chapter 1-4)

❶ 01. men 02. jeans 03. scissors
04. geese 05. glasses 06. Canada
07. money 08. shoes 09. bread
10. English 11. soccer 12. bottles
13. loaves 14. slices 15. bottle

[해석 및 해설]

01. 다섯 명의 남자들이 서점에 있다.
02. Jessica는 청바지를 입는다.
*한 쌍을 이루는 명사는 복수형으로 쓴다.
03. 그들은 새 가위가 필요하다.
04. 농장에는 아홉 마리 거위가 있다.
05. 삼촌은 검은색 안경을 쓴다.
06. 그 가수는 캐나다에 산다.
07. 나는 돈이 좀 필요하다.
*money는 셀 수 없는 명사이다.
08. 아버지는 새 신발이 필요하시다.
09. Jessica는 아침에 빵을 먹는다.
10. 나는 일요일에 영어공부를 한다.
11. 나는 방과 후에 축구를 한다.
*운동경기명 앞에는 관사가 붙지 않는다.
12. Jane은 물 세 병을 가지고 있다.
13. 우리는 고기 세 덩어리가 필요하다.
14. Mike는 치즈 세 조각을 원한다.
15. 아버지는 와인 한 병을 가지고 계시다.

❷ 01. sugar 02. China 03. knives
04. sheep 05. leaves 06. history
07. mice 08. the 09. pants
10. March 11. The 12. glasses

❸ 01. children 02. geese 03. cameras
04. potatoes 05. phones 06. chairs
07. glass 08. piece 09. bags
10. sheets 11. loaf 12. socks

[해설]
02. geese는 goose의 복수형이다.
04. 「자음+o」로 끝나는 명사는 es를 붙인다.

❹ 01. in the sky 02. A day
03. in the east 04. on the right
05. the sky 06. two bowls of rice
07. two glasses of milk
08. The book 09. the piano
10. an elementary school
11. a wonderful country
12. open the door

[해설]
01. 세상에 하나밖에 없을 때는 정관사가 온다.
02. a는 하나를 의미하기도 한다.
04. 위치, 방향 앞에 the를 붙인다.
08. 앞에 나온 명사를 반복할 때는 정관사가 온다.
10. 단수명사 앞에 오는 형용사가 모음 소리로 시작하면 앞에 an을 붙인다.
11. 단수명사 앞에 형용사가 오면 형용사 앞에 a/an을 붙인다.

Achievement Test (Chapter 1-4)

01. ② 02. ④ 03. ④ 04. ⑤ 05. ③ 06. ④
07. ⑤ 08. ① 09. ② 10. ④ 11. ④ 12. ②
13. ④ 14. ② 15. ③ 16. ③ 17. ④ 18. ⑤
19. ③ 20. ③ 21. ④ 22. ③ 23. ②
24. parties / shelves / cities / tomatoes / oxen / children 25. a math → math
26. goose → geese 27. milks → milk
28. sheet 29. potatoes 30. the

[해석 및 해설]
02. *piano의 복수형은 pianos이다.
03. ① 나는 아들이 하나 있다.
② 그는 변호사이다.
③ Susie는 새 자전거가 필요하다.
④ 그녀는 사과 한 개를 원한다.
⑤ 나는 가수이다.
*모음으로 발음되는 명사 앞에는 an을 쓴다.
04. ① 이것은 오렌지이다.
② 그것은 달걀이다.
③ 그것은 재미있는 책이다.
④ 그는 오래된 차를 가지고 있다.
⑤ 그녀는 휴대폰을 가지고 있다.
*interesting book에는 an이 온다.
05. ① 그는 새 테이블이 필요하다.
② 그녀는 컴퓨터를 원한다.
③ 그는 삼촌이 두 명 있다.
④ 그것은 좋은 차다.
⑤ 나는 햄버거를 먹는다.
*복수명사 앞에는 a/an이 올 수 없다.
06. *주어가 단수 this이고 빈칸 앞에 관사가 없으므로 셀 수 없는 명사가 와야 한다.
07. *빈칸 앞에 관사가 없으므로 셀 수 없는 명사가 와야 한다.
08. *「자음+y」로 끝나는 명사에는 y를 지우고 ies를 쓴다. 「모음+y」로 끝나는 명사에는 s가 붙는다.

09. John은 정직한 소년이다. / 그는 매일 피아노를 친다.
*「형용사+단수명사」에서 형용사가 모음으로 시작하면 an이 온다.

10. ① 그는 책이 필요하다.
② 그들은 학생들이다.
③ 이것들은 내 개들이다.
④ 나는 가위가 필요하다.
⑤ 나는 반바지를 입는다.
*pants(바지), glasses(안경), scissors(가위) 같이 쌍으로 이루어지는 명사는 복수형이 되어야 한다.

11. ① 그들은 방과 후에 야구를 한다.
② 내 여동생은 공책이 필요하다.
③ 나는 영어를 배운다.
④ 그는 방과 후에 피아노를 친다.
⑤ 그녀는 부산에 산다.
*악기명 앞에는 the가 온다.

12. ① 엄마는 피자 두 조각이 있다.
② 나는 점심식사로 수프 두 그릇을 먹는다.
③ 우리는 쌀 두 부대가 필요하다.
④ Sam은 매일 우유 한 잔을 마신다.
⑤ 그녀는 차 한 잔을 마신다.
*soup은 셀 수 없는 명사라 복수형을 쓸 수 없다.

13. *piano의 복수형은 pianos이다.

14. 나는 한 시간 동안 산책한다.
*hour에서 h는 발음이 안 되고 o부터 발음이 된다.

15. 내 남동생은 시계가 있다. 그 시계는 검은 색이다.
*앞에 나온 a watch를 반복하므로 정관사 the가 와야 한다.

16. Jane은 차가운 물 두 병이 필요하다.

17. *computer에는 s, 나머지에는 es가 필요하다.

18. *deer은 셀 수 있는 명사로 복수형과 단수형이 같다.

19. *③ 모두 동사

20. *③ honest — happy는 형용사

21. ① 나는 커피 한 잔을 마신다.
② 거기에 우유 세 잔을 넣어라.
③ Ann은 피자 한 조각을 원한다.
④ 그는 고기 두 덩어리를 산다.
⑤ Lynda는 소금 두 부대가 필요하다.
*loaf의 복수형은 loaves이다.

22. ① 그녀는 영리하다.
② 그들은 아름답다.
③ 나는 야구를 좋아한다.
④ 그 아기는 귀엽다.
⑤ 내 남동생은 잘생겼다.
*baseball은 명사이고, 나머지는 형용사이다.

23. 그녀는 간호사이다. / 이것은 재미있는 이야기이다. / 그는 내 남편이다. / 그는 한 시간 동안 피아노를 연주한다.

24. *「자음+y」로 끝나는 명사에는 y를 지우고 ies를 쓴다.

25. *과목 이름 앞에 관사가 오지 않는다.

27. *셀 수 없는 명사에는 복수형이 없다.

28. *a sheet of paper 종이 한 장

29. *o로 끝나는 명사에는 주로 es를 붙인다.

30. *in the morning(아침에), in the afternoon(오후에), in the evening(저녁에)

Chapter 05. 대명사 Ⅰ

Unit 01. 인칭대명사

Warm up

01. 나는, 1인칭 단수　**02.** 그들은, 3인칭 복수
03. 그녀는, 3인칭 단수　**04.** 그것은, 3인칭 단수
05. Jack은, 3인칭 단수　**06.** Jack과 나는, 1인칭 복수
07. 우리는, 1인칭 복수　**08.** 너와 Jane은, 2인칭 복수
09. 개는, 3인칭 단수　**10.** 그 사과들은, 3인칭 복수
11. 너희들은, 2인칭 복수
12. Judy와 Cathy는, 3인칭 복수
13. 그 집은, 3인칭 단수　**14.** 한국은, 3인칭 단수
15. 그는, 3인칭 단수

[해석 및 해설]

01. 나는 학생이다.
02. 그들은 쌍둥이이다.
03. 그녀는 과일을 좋아하다.
04. 그것은 케이크이다.
05. Jack은 나의 친구이다.
06. Jack과 나는 피아노를 친다. *나(I)를 포함하고 있다.
07. 우리는 7시에 저녁을 먹는다.
08. 너와 Jane은 야구를 좋아한다.
09. 개는 발이 4개이다.
10. 그 사과들은 신선하다.
11. 너희들은 아름답다.

12. Judy와 Cathy는 매우 키가 크다.
13. 그 집은 큰 정원이 있다.
14. 한국은 아름다운 나라이다.
15. 그는 종이 두 장이 필요하다.

First Step

❶ 01. We 02. They 03. Judy and Cyndy
04. It 05. Jack 06. Susie
07. It 08. He and I 09. She
10. He 11. They 12. Judy and Cathy
13. They 14. It 15. She

[해석]
01. 우리는 학생들이다.
02. 그들은 쌍둥이이다.
03. Judy와 Cyndy는 나의 친구들이다.
04. 그것은 고양이다.
05. Jack은 나의 친구다.
06. Susie는 의사이다.
07. 그것은 감자다.
08. 그와 나는 선생님이다.
09. 그녀는 가수이다.
10. 그는 나의 친구 Tom이다.
11. 그것들은 독수리이다.
12. Judy와 Cathy는 매우 아름답다.
13. 그것들은 나의 개들이다.
14. 그것은 컴퓨터이다.
15. 그녀는 음악가이다. *it은 사물에 사용한다.

❷ 01. we 02. you 03. they 04. it
05. it 06. they 07. it 08. they
09. she 10. he 11. he 12. they
13. we 14. they 15. you

[해설]
01. 나(I)를 포함하고 있다.
02. 여기서 you는 복수로 "너희들"이다.

Second Step

❶ 01. She 02. They 03. They 04. We
05. He 06. He 07. I 08. You
09. You 10. It 11. We 12. They

❷ 01. He 02. She 03. They 04. It
05. You 06. They 07. We 08. They
09. He 10. He 11. He 12. You
13. She 14. It 15. They

[해석 및 해설]
01. Tom은 교실에 있다. 그는 학생이다.
02. 내 여동생은 학생이다. 그녀는 예쁘다.
03. Jack과 John은 잘생겼다. 그들은 쌍둥이다.
04. 한국은 아름다운 나라이다. 그것은 아시아에 있다.
05. 너와 Jane은 친절하다. 너희들은 좋은 소녀들이다.
06. 그와 그녀는 배우다. 그들은 유명한 배우다.
07. 그와 나는 키가 크다. 우리들은 농구를 좋아한다.
*I가 포함되었으면 we로 바꾼다.
08. Sam과 Jack은 형제이다. 그들은 부지런하다.
09. 나의 아빠는 부엌에 계신다. 그는 요리사이시다.
10. 내 삼촌은 의사이시다. 그는 바쁘다.
11. Eric은 경찰관이다. 그는 용감하다.
12. 너와 James는 미국에서 왔다. 너희들은 내 친구들이다.
13. 내 누나는 선생님이다. 그녀는 영어를 가르친다.
14. 그 차는 파란 색이다. 그것은 바퀴가 네 개다.
*It은 단수 사물을 대신한다.
15. 바구니에 사과 세 개가 있다. 그것들은 신선하다.

Third Step

01. She 02. He 03. They 04. She
05. We 06. They 07. We 08. It
09. He 10. It 11. It 12. You
13. He 14. He 15. They

[해석]
01. Jane은 학생이다. 그녀는 버스 타고 학교에 간다.
02. 나의 남동생은 농구를 한다. 그는 키가 크다.
03. Jessica와 John은 친절하다. 그들은 나의 친구들이다.
04. 나의 여동생은 일본어를 배운다. 그녀는 영리하다.
05. Jane과 나는 간호사이다. 우리는 우리의 일을 사랑한다.
06. 그와 그녀는 선생님이다. 그들은 친절하다.
07. 그와 나는 형제다. 우리는 피자를 좋아한다.
08. 그 새로운 집은 아름답다. 그것은 커다란 문이 있다.
09. Johnson은 체육관에 있다. 그는 나의 친구다.
10. 그 음식은 스파게티다. 그것은 매우 맛있다.
11. 그 박물관은 서울에 있다. 그것은 매우 크다.
12. 너와 Tom은 나의 친구들이다. 너희들은 부지런하다.

13. 나의 아버지는 사업가이시다. 그는 바쁘다.
14. John은 바쁘다. 그는 잘생겼다.
15. Tom과 Jane은 축구를 한다. 그들은 훌륭한 선수들이다.

Writing Step

01. He is　02. She is　03. We are
04. She is　05. They are　06. It is
07. He is　08. They are　09. It is
10. We are　11. They are　12. He is

Unit 02. 지시대명사와 지시형용사

Warm up

01. This　02. These　03. They
04. These　05. These, are　06. That
07. These, are　08. This　09. It
10. That　11. Those　12. That
13. Those　14. are　15. They

[해석 및 해설]
01. 이것은 고양이다.
02. 이들은 나의 사촌들이다.
03. 그들은 나의 형제들이다.
04. 이것들은 과자들이다.
05. 이 배우들은 아시아에서 유명하다.
*these는 지시형용사로 actors를 꾸며준다.
06. 저 소년은 영리하다.
07. 이 야채들은 신선하다.
*these는 지시형용사로 vegetables를 꾸며준다.
08. 이 사람은 나의 친구 James이다.
09. 그것은 오븐이다.
10. 저분은 나의 삼촌 John이시다.
11. 저것들은 그의 장난감들이다.
12. 저것은 우체국이다.
13. 저들은 나의 아이들이다.
14. 저것들은 나의 연필들이다.
15. 그것들은 쥐들이다. *mice는 mouse의 복수명사이다.

First Step

❶ 01. 그녀는　02. 그는　03. 이 학생들을
04. 저분은　05. 그것은　06. 이 집을
07. 우리는　08. 이 꽃들은　09. 이것들은
10. 그것은　11. 저 사람은　12. 저 동물들은
13. 그는　14. 이 로봇은　15. 이 컴퓨터게임을

❷ 01. This　02. That　03. These
04. Those　05. These　06. That
07. That　08. This　09. That
10. This　11. These　12. That

[해설]
05. 여기서는 animal을 수식하는 지시형용사가 필요하다.
06. 명사 man은 단수이므로 단수 지시형용사가 필요하다.

Second Step

❶ 01. That　02. Those　03. That
04. flowers　05. These　06. We
07. building　08. This　09. these
10. That　11. These　12. these

❷ 01. This　02. these　03. Those
04. penguins　05. that　06. is
07. These　08. are　09. rooms
10. Those　11. are　12. desks

[해설]
02. these+복수명사+are
04. those+복수명사+are
05. actor는 단수이므로 앞에 that이 와야 한다.

Third Step

01. 이것들은 나의 공책들이다.
02. 이분은 나의 어머니이시다.
03. 이 샌드위치들은 맛있다.
04. 그들은 나의 같은 반 친구들이다.
05. 이 신발들은 매우 더럽다.
06. 이것들은 내가 좋아하는 장난감들이다.
07. 저 산들은 매우 높다.
08. 저것들은 장미들이다.
09. 나의 친구들은 이 치즈를 좋아한다.
10. 이 과일들은 매우 달콤하다.
11. 저것들은 나의 공책들이다.
12. 이 여성[여자]들은 일본에서 왔다.

Writing Step

01. This book is
02. Those are
03. Those animals
04. these colors
05. This movie is
06. These are
07. those flowers
08. that building
09. This song is
10. These are
11. That is
12. This computer

Final step

❶ 01. She 02. We 03. You 04. It
05. He 06. This 07. These 08. those
09. That 10. That 11. These 12. those

❷ 01. He 02. Those 03. These 04. This
05. That 06. Those 07. that 08. this
09. It 10. That 11. These 12. This
13. That 14. Those 15. They

[해석 및 해설]

01. 그는 내 아버지이시다.
02. 저 강아지들은 검은색이다. *those+복수명사
03. 이것들은 내 새 신발이다. *these/those+are
04. 이것은 내 새끼 고양이다. *this/that+is
05. 저 집은 매우 크다. *this/that+단수명사
06. 저것들은 그의 차들이다. *these/those+are
07. 나는 저 책을 원한다. *this/that+단수명사
08. 그는 이 아파트에서 산다. *this/that+단수명사
09. 그것은 맛있는 케이크이다.
10. 저 동물은 얼룩말이다. *this/that+단수명사
11. 이것들은 내 새 안경이다. *these/those+are
12. 이 사람은 내 형, John이다.
13. 저 건물은 주차장이 있다. *this/that+단수명사
14. 저 오렌지들은 매우 달다. *those+복수명사
15. 그들은 유명한 가수들이다.

Exercise

01. ④ 02. ③ 03. ⑤ 04. ② 05. ④ 06. ③
07. ② 08. ② 09. ⑤ 10. ④ 11. ③ 12. ②
13. ④ 14. ① 15. They 16. You

[해석 및 해설]

02. *주어는 복수형이 되어야 한다.
05. Jack과 Tom은 내 친구들이다.
*Jack and Tom은 그들(they)이다.
06. Nick과 나는 학생이다.
07. 너와 Tom은 영리하다.
*You and Tom은 너희들(you)이다.
10. 그 음식은 피자이다. 그것은 맛있다.
*it은 사물을 대신해 쓴다.
11. Jack과 나는 소방관이다. 우리들은 바쁘다.
12. ① 이들은 내 사촌들이다.
② 이것들은 내 연필들이다.
③ 이들은 내 친구들이다.
④ 이분들은 내 삼촌들이시다.
⑤ 이분들은 내 선생님들이시다.
*②번의 these는 사물, 나머지는 사람을 의미한다.
13. _____ 내 것이다.
*be동사가 are이므로 주어는 복수형이 되어야 한다.
14. _____ 매우 친절하다.
*be동사가 is이므로 주어는 단수형이 되어야 한다.
15. Tom과 John은 사촌이다. 그들은 내 친구들이다.
16. 너와 그녀는 소방관이다. 너희는 용감하다.

Chapter 06. 대명사 II

Unit 01. 대명사의 격변화와 역할

Warm up

❶

	주격		목적격	
1인칭 단수	I	나는	me	나를
1인칭 복수	we	우리들은	us	우리들을
2인칭 단수	you	너는	you	너를
2인칭 복수	you	너희들은	you	너희들을
3인칭 단수	he	그는	him	그를
	she	그녀는	her	그녀를
	it	그것은	it	그것을
3인칭 복수	they	그(것)들은	them	그(것)들을

❷ 01. 나는 02. 그는 03. 그들은
04. 그녀는 05. 그것은 06. 우리는
07. 나를 08. 그를 09. 그(것)들을
10. 그녀를 11. 그것을 12. 우리를

First Step

❶ 01. She 02. It 03. Those
04. him 05. They 06. them
07. her 08. You 09. it
10. these 11. us 12. They
13. They 14. He 15. It

[해석 및 해설]
01. 그녀는 의사이다. *is는 3인칭 단수동사이므로 3인칭 단수주어를 찾는다.
02. 그것은 내 휴대폰이다.
03. 저것들은 내 책들이다.
04. 우리는 그를 좋아한다.
05. 그들은 영화배우들이다.
06. 나는 그들을 좋아한다. *동사 like의 목적어가 필요하다.
07. 나는 그녀를 알고 있다.
08. 너(희)는 무척 아름답다.
09. 그들은 그것을 원한다.
10. 그들은 이것들을 가지고 있다.
11. Jack은 우리를 가르친다.
12. 그것들은 맛있는 쿠키이다.
13. 그들은 쌍둥이이다.
14. 그는 좋은 학생이다.
15. 그것은 내가 좋아하는 색이다.

❷ 01. You, They 02. him, it 03. Those
04. her, this 05. They 06. me, them
07. them, it 08. They, You 09. it, you
10. it, those 11. me, her 12. These, They
13. It 14. it, those 15. him, us

[해석]
01. _____ 축구선수들이다.
02. 나는 _____ 사랑한다.
03. 저것들은 그의 편지들이다.
04. 우리는 _____ 좋아한다.
05. 그들은 중국에서 인기 있다.
06. 그의 부모님은 추수감사절에 _____ 초대한다.
07. 그들은 시장에서 _____ 산다.
08. _____ 지금 무척 졸리다.
09. Susie는 _____ 필요로 한다.
10. Clark 씨는 _____ 읽는다.
11. Sara는 _____ 영어를 가르친다.
12. _____ 내가 좋아하는 그림들이다.
13. 그것은 내 자동차이다.
14. 그들은 _____ 아주 많이 좋아한다.
15. 그녀는 사무실에서 _____ 만난다.

Second Step

❶ 01. They, this 02. me 03. us
04. these 05. it 06. you
07. those 08. you 09. them
10. them 11. This 12. These

❷ 01. 그녀를 02. 그들을 03. 그들을
04. 우리를 05. 그것을 06. 너(희)를
07. 그를 08. 그것들을 09. 그를
10. 이분은 11. 그녀를 12. 이것들을
13. 이것을 14. 저것들을 15. 우리를

Third Step

01. them 02. it 03. it 04. him
05. them 06. us 07. them 08. them
09. you 10. it 11. it 12. her
13. it 14. him 15. them

[해석 및 해설]
01. 나는 친구들이 있다. 나는 그들을 사랑한다.
02. 그는 자동차가 있다. 그는 세차를 한다.
03. Mike는 새 컴퓨터가 있다. 그는 그것을 매일 사용한다.
04. 그녀는 아들이 한 명 있다. 그녀는 그를 사랑한다.
05. 그는 딸이 두 명 있다. 그는 그들을 사랑한다.
06. 그녀는 Tom과 나를 안다. 그녀는 우리를 좋아한다.
07. Kathy는 고양이가 세 마리 있다. 그녀는 그것들을 좋아한다. *three cats → them
08. 나의 아버지는 오렌지를 좋아하신다. 그는 그것들을 시장에서 사신다.
09. Susie는 너와 그를 좋아한다. 그녀는 너희들과 논다. *you and him → you
10. 우리는 커피를 좋아한다. 우리는 그것을 아침에 마신다. *coffee → it
11. 나는 나의 방이 있다. 나는 그 방을 매일 청소한다.
12. Jessie는 여동생이 한 명 있다. Jessie는 그녀와 논다.
13. 그는 노란색 셔츠가 있다. 그는 가끔 그것을 입는다.
14. 나의 이모는 아들이 한 명 있다. 그녀는 그에게 영어를 가르친다.
15. 그녀는 Jack과 John을 알고 있다. 그녀는 그들을 돕

는다. *Jack and John → them

Writing Step

01. I, them 02. They, them 03. He, us
04. She, him 05. They, it 06. She, us
07. I, these 08. She, them 09. We, him
10. He, this 11. I, them 12. They, me

Unit 02. 대명사와 명사의 격변화

Warm up

❶

	소유격		소유대명사	
1인칭 단수	my	나의	mine	나의 것
1인칭 복수	our	우리의	ours	우리의 것
2인칭 단수	your	너의	yours	너의 것
2인칭 복수	your	너희들의	yours	너희들의 것
3인칭 단수	his	그의	his	그의 것
	her	그녀의	hers	그녀의 것
	its	그것의	–	–
3인칭 복수	their	그(것)들의	theirs	그(것)들의 것

❷ 01. mine 02. her 03. ours
04. his 05. Tom's 06. their
07. yours 08. our 09. your
10. my sister's 11. Jane's 12. its

First Step

❶ 01. my 02. These, mine 03. your
04. your 05. his 06. my
07. His 08. them 09. his
10. mine 11. My 12. Those, Jane's
13. They 14. Its 15. his

[해석 및 해설]

01. 그녀는 나의 학생이다.
02. 이 동전들은 내 것이다. *coins가 복수명사이므로 복수 지시형용사 these가 온다.
03. 저것은 네 컴퓨터이다.
04. 나는 너의 머리스타일이 좋다.
05. 그녀는 그의 영화들을 좋아한다.
06. 그는 내 친구들을 만나고 싶어 한다.
07. 그가 좋아하는 스포츠는 야구다.
08. 우리는 그들을 사랑한다.
09. 나는 그의 어머니를 안다.
10. 이 자전거는 내 것이다.
11. 내 컴퓨터는 오래됐다.
12. 저것들은 Jane의 고양이들이다.
13. 그들은 내 친구들이다.
14. 그것의 피부는 하얗다.
15. 그 검은 차는 그의 것이다.

❷ 01. Jane's 02. girs' 03. Jane's
04. my uncle's 05. her 06. his
07. his 08. my father's 09. my sister's
10. John's 11. hers 12. my mother's
13. our 14. theirs 15. Their

[해석]

01. 이것은 Jane의 고양이이다.
02. 그 여학교는 매우 크다.
03. 이 방은 Jane의 것이다.
04. 그 자동차는 나의 삼촌 것이다.
05. 이것은 그녀의 집이다.
06. 나는 그의 노래들을 좋아한다.
07. 이 책은 그의 것이다.
08. 나의 친구들은 내 아버지의 그림들을 좋아한다.
09. 그 컴퓨터는 나의 여동생 것이다.
10. 그 가방은 John의 것이다.
11. 저 검정색 우산들은 그녀의 것이다.
12. 이 아름다운 드레스들은 나의 엄마 것이다.
13. 그것들은 우리의 이름들이다.
14. 이 빨간색 스웨터들은 그들의 것이다.
15. 그들의 집은 매우 크다.

Second Step

❶ 01. my 02. Jane's 03. us
04. uncle's 05. my father's 06. hers
07. theirs 08. its 09. their
10. yours 11. mine 12. our

❷ 01. 나의 것이다 02. Susan의 것이다
03. 우리의 것이다 04. 그의 차를

05. Jane의 신발이다 06. 그의 남동생(형)은
07. 우리의 문화를 08. 그들의 과학선생님이시다
09. 그녀의 삼촌을 10. 그녀의 것이다
11. 나의 삼촌 것이다 12. 그의 자전거는
13. 나의 조부모님이시다 14. 나의 남동생 것이다
15. 너(희들)의 것이다

Third Step

01. him 02. yours 03. Mike's 04. him
05. theirs 06. her 07. My 08. his
09. my sister's 10. their 11. his 12. his
13. Her 14. its 15. me

[해석]

01. 나는 그와 얘기를 한다.
02. 저 바지들은 당신의 것이다.
03. 이것은 Mike의 책상이다.
04. 그녀는 그에게 영어를 가르친다.
05. 이 자동차들은 그들의 것이다.
06. 그 아이들이 자주 그녀의 정원에서 논다.
07. 나의 고향은 서울이다.
08. 그들은 그의 조언을 원한다.
09. 그 빨간 토마토들은 나의 여동생 것이다.
10. 나는 그들의 도움이 필요하다.
11. 이 피아노는 그의 것이다.
12. Mike는 그의 자동차를 일요일에 닦는다.
13. 그녀가 좋아하는 음식은 피자이다.
14. 나의 친구들을 그것의 스타일을 좋아한다.
15. 나에게 돈 좀 줘.

Writing Step

01. Her mother 02. my bag
03. His friends 04. Their house
05. His favorite sport 06. His daughter
07. like her songs 08. love our parents
09. your friend 10. Jack's horse
11. my favorite song 12. Their hobby

Final step

❶ 01. my 02. These 03. her
04. mine 05. This 06. theirs
07. Their 08. its 09. his
10. it 11. His 12. Jessica's
13. her 14. Its 15. My

❷ 01. him 02. They 03. her
04. hers 05. This 06. Jane's
07. She 08. John's 09. sister's
10. them 11. brother's 12. his
13. that 14. them 15. yours

Exercise

01. ⑤ 02. ④ 03. ④ 04. ⑤ 05. ① 06. ②
07. ③ 08. ③ 09. ④ 10. ⑤ 11. ③ 12. ④
13. my sister's 14. her 15. my father's
16. 이 책은 나의 것이다.

[해석 및 해설]

03. 이 공들은 _______이다. *소유대명사가 와야 한다.
04. 이 시계는 _______이다. *소유대명사가 와야 한다.
05. ① 이 가방은 그녀의 것이다.
② 저것은 내 아버지의 자동차이다.
③ 우리는 그를 사랑한다.
④ 이 책은 네 것이다.
⑤ 그들은 내 부모님이시다.
06. ① 저 책들은 나의 것이다.
② 저것은 내 여동생의 고양이다.
③ 우리는 그들을 매일 방문한다.
④ 그의 방은 깨끗하다.
⑤ 이 장난감은 그녀의 것이다.
07. *각각 목적격과 주격의 인칭대명사가 와야 한다.
08. ① 이것은 그의 차이다.
② 이것들은 너의 코트들이다.
③ 이것은 Jane의 고양이다.
④ 이것은 내 여동생의 시계이다.
⑤ 저것들은 그녀의 장난감들이다.
*③ Jane은 Jane's가 되어야 한다.
09. Jane은 _______와 논다.
*내용상 소유격 또는 소유대명사 his는 빈칸에 적합하지 않다.
*전치사 with 다음에는 목적격이 온다.
10. 이 바지는 _______이다.
*빈칸에는 소유대명사가 와야 한다.
11. 그들은 매주 일요일에 _______ 방문한다.
*hers는 소유대명사이다.

Chapter 07. be동사 I

Unit 01. be동사의 쓰임 I

Warm up

01. am	02. are	03. are	04. is
05. is	06. are	07. is	08. lions
09. students	10. are	11. You're	12. It's
13. She's	14. He's	15. We're	

[해석 및 해설]

01. 나는 학생이다.
02. 너는 학생이다.
03. 우리는 선생님이다.
04. 그는 치과의사이다.
05. 그녀는 가정주부이다.
06. 그것들은 장미이다.
07. 그것은 크다.
08. 그것들은 사자이다.
09. 너희들은 좋은 학생들이다. *you는 2인칭 복수이므로 students가 와야 한다.
10. 그녀와 나는 공원에 있다.
11. 너는 좋은 음악가이다. *You are → You're
12. 그것은 거실에 있다. *It is → It's
13. 그녀는 매우 친절하다. *She is → She's
14. 그는 내 오빠(남동생)이다. *He is → He's
15. 우리는 유명한 배우이다. *We are → We're

First Step

❶

01. am	02. are	03. are	04. are
05. is	06. are	07. is	08. are
09. are	10. is	11. is	12. are
13. is	14. are	15. are	

[해석]

01. 나는 의사이다.
02. 당신은 매우 용감하다.
03. 우리는 당신의 학생들이다.
04. 그와 나는 같은 반 친구이다.
05. 그녀는 매우 강하다.
06. 그들은 기차 안에 있다.
07. 그것은 상자 안에 있다.
08. 그 사자들은 매우 배가 고프다.
09. Jack과 Sara는 극장 안에 있다.
10. Sam은 오늘 아프다.
11. 개는 충성스러운 동물이다.
12. 그 소녀들은 매우 졸리다.
13. 그 소년은 나의 아들이다.
14. 그 컴퓨터들은 나의 것이다.
15. 우리는 동굴 안에 있다.

❷

01. is	02. are	03. are	04. is
05. is	06. are	07. are	08. are
09. is	10. are	11. is	12. are
13. are	14. is	15. are	

[해석]

01. Sam은 나의 친구이다.
02. Jim과 나는 매우 행복하다.
03. 그들은 사무실 안에 있다.
04. Susie는 지금 매우 화나 있다.
05. 그 영화는 웃기다.
06. 그 건물들은 하얀색이다.
07. 그 과일들은 수박이다.
08. 그녀와 그녀의 남편은 건강하다.
09. 그것은 나의 장난감이다.
10. 그 고양이들은 내 여동생 것이다.
11. 내가 좋아하는 가수는 Jina이다.
12. 그 안경은 새것이다.
13. 그녀의 삼촌들은 부지런하시다.
14. 포도주 한 병이 냉장고에 있다.
15. 세 마리 거위가 연못에 있다.

Second Step

❶

01. is	02. are	03. O	04. are
05. are	06. O	07. are	08. is
09. is	10. O	11. are	12. O
13. are	14. is	15. are	

[해석]

01. Mike는 내 사촌이다.
02. 그들은 나의 부모님이시다.
03. 그와 나는 배우이다.
04. Jane과 Susan은 내 반 친구들이다.
05. 그 말들은 강하다.
06. 그 동물은 원숭이다.
07. 그 고양이들은 내 것이다.
08. 그녀의 어머니는 유명한 배우이시다.
09. 그의 머리는 검은색이다.
10. 그 노트북 컴퓨터는 내 여동생(누나) 것이다.
11. 그녀와 Tom은 의사이다.

12. 그 남자는 내 삼촌이시다.
13. 그것들은 신선한 과일이다.
14. 그는 조종사이다.
15. 그 동물들은 사슴이다.

❷

01. is	02. friends	03. are	04. are
05. is	06. O	07. O	08. are
09. O	10. O	11. are	12. are
13. vegetables		14. cat	15. are

[해석 및 해설]
01. 그는 내 오빠(남동생)이다.
02. 그들은 내 친구들이다.
*주어가 복수이므로 be동사 다음에 오는 명사도 복수여야 한다.
03. 그녀와 Jack은 치과의사이다.
04. 바지 세 개가 서랍 안에 있다.
*주어가 복수이므로 be동사 are가 온다.
05. 그 책은 소파 위에 있다.
*주어가 단수이므로 be동사 is가 온다.
06. 그 말은 하얗다.
07. 그것들은 새 양말들이다.
08. 그 노래들은 매우 인기 있다.
09. 그 꽃들은 장미이다.
10. 그 컴퓨터는 Jane의 것이다.
11. Tom과 나는 매우 바쁘다.
12. 여자 세 명이 레스토랑 안에 있다.
13. 그것들은 신선한 야채이다.
14. 그것은 고양이다.
15. 세 마리 양이 언덕 위에 있다.
*sheep은 셀 수 있는 명사이다.

Third Step

01. 교실에 있다	02. 책상 위에 있다
03. 행복하다	04. 의사이다
05. 피곤하시다	06. 신선하다
07. 지루하다	08. 의사들이다
09. 내 것이다	10. 그의 방에 있다
11. 화나 있다	12. 재미있다
13. 나의 사촌들이다	14. Jane의 것이다
15. 바구니에 있다	

Writing Step

01. This is	02. He is	03. They are
04. She is	05. carrot is	06. socks are
07. You are	08. It is	09. They are
10. They are	11. We are	12. She and Jane are

Unit 02. be동사의 쓰임 II

Warm up

01. is	02. a table	03. are
04. are	05. vegetables	06. is
07. are	08. pianists	09. a nurse
10. is	11. is	12. are
13. is	14. is	15. geese

[해석 및 해설]
01. 저 아이는 배가 고프다.
02. 부엌에 식탁이 하나 있다.
03. 식탁에 우유 두 잔이 있다.
04. 저것들은 나의 모자들이다.
05. 이것들은 야채들이다.
06. 병에 우유가 좀 있다. *milk는 셀 수 없는 명사이다.
07. 상자에 당근 세 개가 있다.
08. 그들은 유명한 피아니스트들이다.
09. 방에 간호사가 한 명 있다.
10. 정원에 한 여자가 있다.
11. 저 남자는 비행기 조정사이다.
12. 이들은 농부이다.
13. 냉장고에 물 한 병이 있다.
14. 이것은 해바라기이다.
15. 저 동물들은 거위이다.

First Step

❶

01. is	02. is	03. is	04. is	05. are
06. are	07. are	08. are	09. are	10. are
11. is	12. are	13. are	14. are	15. is

[해석]
01. 이것은 자전거이다.
02. 저 여자는 간호사이다.
03. 이 사람은 내 친구 Jessica이다.
04. 저 사람은 Tom이다.

05. 저 남자들은 의사이다.
06. 이것들은 신선하다.
07. 저분들은 내 부모님이시다.
08. 그와 나는 학생이다.
09. 이분들은 내 선생님들이시다.
10. 저 개들은 귀엽다.
11. 저것은 맛있다.
12. 이 야채들은 무이다.
13. 저것은 그녀의 장갑이다.
14. 저 소년들은 졸리다.
15. 저것은 그녀의 바이올린이다.

❷ 01. O　02. animal　03. is　04. men
05. are　06. cookies　07. are　08. book
09. O　10. O　11. is　12. O
13. are　14. O　15. nurses

[해석 및 해설]
01. 그들은 방 안에 있다.
02. 그 동물은 얼룩말이다.
03. 이 물은 깨끗하다. *물은 셀 수 없는 명사이다.
04. 이 남자들은 조종사이다.
05. 이 고양이들은 귀엽다.
06. 이 쿠키들은 맛있다.
07. 다섯 권의 책이 테이블 위에 있다.
08. 이 책은 내 사촌의 것이다.
09. 이 말들은 내 것이다.
10. 이 의자들은 매우 싸다.
11. 저 빌딩은 도서관이다.
12. 저것은 내가 좋아하는 음식이다.
13. 저 사진들은 그녀의 것이다.
14. 저것은 그녀의 방이다.
15. 저 여자들은 간호사들이다.

Second Step

❶ 01. are　02. is　03. O　04. windows
05. is　06. O　07. are　08. are
09. is　10. O　11. cars　12. are
13. bottles　14. O　15. O

[해석 및 해설]
01. 교실에 두 명의 소년이 있다. *there로 시작하는 문장은 뒤에 나오는 명사가 단수인지 복수인지를 확인하고 동사를 고른다.
02. 부엌에 식탁이 있다.
03. 식탁 위에 차 두 잔이 있다.
04. 방에 창문이 두 개 있다.
05. 의자 밑에 개가 한 마리 있다.
06. 상점에 많은 오렌지가 있다.
07. 상자 안에 당근 세 개가 있다.
08. 버스 정류장에 학생들이 많이 있다.
09. 교실에 선생님이 한 분 계시다.
10. 복도에 한 남자가 있다.
11. 거리에 많은 자동차들이 있다.
12. 언덕에 다섯 채의 집들이 있다.
13. 냉장고에 다섯 병의 물이 있다.
14. 버스에 두 명의 여성이 있다.
15. 놀이터에 다섯 명의 아이들이 있다.

❷ 01. is　02. is　03. are　04. are　05. are
06. is　07. is　08. are　09. are　10. is
11. are　12. is　13. are　14. are　15. are

[해석 및 해설]
01. 교실에 한 소녀가 있다. *뒤에 나오는 명사가 a girl이므로 단수동사를 쓴다.
02. 책상에 연필이 하나 있다.
03. 책상에 책 두 권이 있다.
*복수명사 two books이므로 are가 와야 한다.
04. 그 집에는 방이 여섯 개 있다.
05. 체육관에 열 명의 학생이 있다.
06. 방에 컴퓨터가 한 대 있다.
07. 거실에 소파가 하나 있다.
08. 부엌에 네 개의 의자가 있다.
09. 학교에 여섯 명의 영어선생님이 계시다.
10. 식탁 위에 빵 한 덩어리가 있다.
11. 한국에는 많은 산들이 있다.
12. 나무 아래 고양이 한 마리가 있다.
13. 그릇 안에 치즈 두 조각이 있다.
14. 공항에 많은 비행기들이 있다.
15. 일주일은 7일이다.

Third Step

01. 한 남자가 있다　02. 두 권의 잡지들이 있다
03. 물이 있다　04. 컴퓨터가 한 대 있다
05. 두 마리 고양이들이 있다　06. 가게[상점]들이 있다
07. 피아노가 한 대 있다　08. 야채들이 있다

09. 다섯 개의 도넛이 있다 10. 한 소년이 있다
11. 네 계절이 있다 12. 나의 친구들이 있다

Writing Step

01. There are two
02. There are three bottles
03. There are some vegetables
04. There is my father
05. There is a house
06. There are five benches
07. These men are
08. These are
09. Those flowers are
10. There are six tables
11. Those are
12. There are nine children

Final step

❶ 01. is → are 02. is → are
03. is → are 04. actor → actors
05. coin → coins 06. is → are
07. is → are 08. are → is
09. student → students 10. are → is
11. waiter → waiters 12. movies → movie

[해설]
01. 주어가 복수이므로 복수동사가 와야 한다.
04. are 다음에 명사가 올 경우 복수형이 되어야 한다.
10. some milk는 단수 취급한다.

❷ 01. are → is 02. is → are
03. cats → cat 04. is → are
05. is → are 06. house → houses
07. pet → pets 08. are → is
09. glass → glasses 10. scientist → scientists
11. singer → singers 12. are → is

[해설]
06. are 다음에 명사가 올 경우 복수형이 되어야 한다.
08. This coffee는 단수이다.

Exercise

01. ④ 02. ② 03. ③ 04. ⑤ 05. ④ 06. ②
07. ③ 08. ① 09. ③ 10. ⑤ 11. ③ 12. are
13. are 14. are 15. children
16. 저 영화들은 재미있다.

[해석 및 해설]
01. ① 그들은 피곤하다.
② 이분들은 나의 부모님이시다.
③ 그는 가수이다.
④ Susan과 나는 학생이다.
⑤ 그것들은 장미이다.
02. ① 이것은 나의 반지다.
② 이것들은 사자들이다.
③ 그것은 그의 돈이다.
④ 그것들은 그의 사진들이다.
⑤ 그것은 그녀의 고양이다.
03. ① 의자 위에 책이 한 권 있다.
② 식탁 위에 커피 한 잔이 있다
③ 식탁 위에 두 개의 수저가 있다.
④ 차고에 내 남동생이 있다.
⑤ 쟁반에 사과가 한 개 있다.
04. *동사가 are이므로 복수명사가 와야 한다.
05. 이것들은 나의 공책들이다. / 그와 나는 과학자다.
06. 방에 등이 있다. / 이것들은 내 책들이다.
*단수명사와 복수명사가 각각 와야 한다.
07. ① Tom과 Sam은 잘생겼다.
② 일 년은 365일이다.
③ Jack과 나는 영어선생님이다.
④ 이것들은 튤립이다.
⑤ 저 바지는 그의 것이다.
*Tom and Sam과 365 days는 복수이므로 are가 와야 한다.
08. ① 한은 중국에서 왔다.
② 그 영화는 재미있다.
③ 이 재킷은 내 남동생 것이다.
④ 이 야채들은 신선하다.
⑤ 그 책은 책상 위에 있다.
11. 병에 약간의 우유가 있다. / 이 동물은 캥거루이다.
12. *복수명사 two pencils가 왔으므로 are가 와야 한다.
13. *주어가 Susan and her mother 두 명이다.
14. 체육관에 많은 소녀들이 있다.
15. 놀이터에 다섯 명의 아이들이 있다.

Chapter 08. be동사 II

Unit 01. be동사의 부정문

Warm up

01. is not	02. are not	03. are not
04. are not	05. are not	06. are not
07. are not	08. are not	09. are not
10. are not	11. are not	12. is not
13. are not	14. is not	15. is not

[해석]
01. 이것은 장난감이 아니다.
02. 그 방들이 깨끗하지 않다.
03. 이것들은 당신 것이 아니다.
04. Jack과 Susan은 놀이터에 없다.
05. 그들은 방에 있지 않다.
06. 이 양말들은 새것이 아니다.
07. 그 고양이들은 검정색이 아니다.
08. 저 말들은 매우 빠르지 않다.
09. 식탁 위에 과자들이 없다.
10. 이 시계들은 비싸지 않다.
11. 그 과일들은 저렴하지 않다.
12. 그것은 나의 공책이 아니다.
13. 이 꽃들은 아름답지 않다.
14. 이 토마토는 빨간색이 아니다.
15. 저 건물은 높지 않다.

First Step

❶ 01. She is not a cook.
02. We are not hungry.
03. Jackson is not my brother.
04. They are not my shoes.
05. That is not a calendar.
06. Those are not my puppies.
07. She is not ten years old.
08. She and I are not busy.
09. This car is not mine.
10. There are not many trees in the forest.
11. He and she are not my friends.
12. My mom is not a famous writer.

[해석]
01. 그녀는 요리사가 아니다.
02. 우리는 배가 고프지 않다.
03. Jackson은 내 남동생이 아니다.
04. 그것들은 나의 신발이 아니다.
05. 저것은 달력이 아니다.
06. 저것들은 나의 강아지들이 아니다.
07. 그녀는 10살이 아니다.
08. 그녀와 나는 바쁘지 않다.
09. 이 자동차는 내 것이 아니다.
10. 숲에는 나무들이 많지 않다.
11. 그와 그녀는 나의 친구들이 아니다.
12. 내 엄마는 유명한 작가가 아니시다.

❷ 01. Jack isn't a businessman.
02. They aren't angry.
03. Jane isn't my science teacher.
04. They aren't my pants.
05. The shopping mall isn't big.
06. That isn't a bookstore.
07. The food isn't delicious.
08. She and Jack aren't honest.
09. This bicycle isn't Jackson's.
10. The movie isn't funny.
11. These houses aren't expensive.
12. It isn't cold today.

[해석]
01. Jack은 사업가가 아니다.
02. 그들은 화가 나지 않았다.
03. Jane은 나의 과학선생님이 아니다.
04. 그것들은 나의 바지가 아니다.
05. 그 쇼핑몰은 크지 않다.
06. 저것은 서점이 아니다.
07. 이 음식은 맛이 없다.
08. 그녀와 Jack은 정직하지 않다.
09. 이 자전거는 Jackson 것이 아니다.
10. 그 영화는 재미가 없다.
11. 이 집들은 비싸지 않다.
12. 오늘은 춥지 않다.

Second Step

❶ 01. are not 02. is not 03. is not

04. are not 05. are not 06. am not
07. is not 08. are not 09. is not
10. is not 11. are not 12. are not

❷ 01. are not 02. are not 03. is not
04. is not 05. are not 06. am not
07. is not 08. are not 09. are not
10. is not 11. is not 12. are not

Third Step

01. isn't 02. are not 03. is not
04. are not 05. aren't 06. O
07. aren't 08. are not 09. is not
10. is not 11. isn't 12. are not
13. O 14. are not 15. aren't

[해석]
01. 저 소녀는 나의 딸이 아니다.
02. 저 집들은 크지 않다.
03. Cathy는 지금 피곤하지 않다.
04. 나의 자전거들은 새것이 아니다.
05. 이 안경은 나의 아버지 것이 아니다.
06. 그 기차는 빠르지 않다.
07. 그의 아이들은 병원에 있지 않다.
08. 거리에 자동차들이 많지 않다.
09. 거실에 램프가 없다.
10. 소파 위에 사전이 없다.
11. 그 의사는 나의 삼촌이 아니다.
12. 저 동물들은 당신 것이 아니다.
13. 저것은 나의 코트가 아니다.
14. 그 경찰관들은 용감하지 않다.
15. 저 여자들은 요리사가 아니다.

Writing Step

01. is not fast 02. are not students
03. are not yours 04. are not hungry
05. is not a musician 06. is not interesting
07. are not my relatives 08. are not animals
09. is not strong 10. are not mine
11. is not handsome 12. is not expensive

Unit 02. be동사의 의문문

Warm up

01. Is 02. Is 03. Are 04. Are 05. Is
06. Are 07. Are 08. Are 09. Are 10. Is
11. Is 12. Is 13. Are 14. Is 15. Are

[해석]
01. 이것은 수건이니?
02. 이 방은 네 방이니?
03. 이 책들은 네 것이니?
04. Jack과 Susan은 교실에 있니?
05. 개가 방에 있니?
06. 너는 한국에서 왔니?
07. 식탁 아래 고양이들이 있니?
08. 저 개들은 빠르니?
09. 이 과자들은 맛있니?
10. 그는 권투선수이니?
11. 저것은 과일이니?
12. 이것은 너의 공책이니?
13. 그들은 당신 아들들인가요?
14. 그것은 빨간색이니?
15. 이것들은 네 장난감들이니?

First Step

❶ 01. Is she a cook?
02. Is this your uniform?
03. Is there my brother in the room?
04. Are they my shoes?
05. Are those your puppies?
06. Is she five years old?
07. Is this car expensive?
08. Is the computer game funny?
09. Are they in the park?
10. Are those her glasses?
11. Are there cups on the table?
12. Are they hungry now?

[해석 및 해설]
01. 그녀는 요리사이니?
*의문문은 주어와 be동사의 위치를 바꾸면 된다.
02. 이것은 너의 유니폼이니?
03. 방에 내 남동생이 있니?

04. 그것들은 내 신발이니?
05. 저것들은 네 강아지들이니?
06. 그녀는 다섯 살이니?
07. 이 자동차는 비싸니?
08. 그 컴퓨터게임은 재미있니?
09. 그들이 공원에 있니?
10. 저것들은 그녀의 안경이니?
11. 식탁에 컵들이 있니?
12. 그들은 지금 배가 고프니?

❷ 01. I am, I am not 02. she is, she is not
03. it is, it is not 04. we are, we are not
05. I am, I am not 06. there is, there is not
07. it is, it is not 08. she is, she is not
09. it is, it is not 10. there are, there are not
11. he is, he is not 12. it is, it is not.

[해석 및 해설]
01. 너는 가수이니?
02. 그녀는 예쁘니?
03. 그것은 너의 컴퓨터니?
04. 너희들은 학생이니? *1인칭 I의 복수형은 we이다.
05. 너는 학생이니?
06. 교실에 선생님이 계시니?
07. 이것은 비싸니?
08. 그녀는 네 딸이니?
09. 그것은 그의 돈이니?
10. 쇼핑몰에는 많은 사람들이 있니?
11. 네 아버지는 바쁘시니?
12. 그것은 펜이니?

Second Step

❶ 01. they are, they aren't
02. it is, it isn't
03. there are, there aren't
04. she is, she isn't
05. he is, he isn't
06. they are, they aren't
07. she is, she isn't
08. they are, they aren't
09. they are, they aren't
10. they are, they aren't
11. it is, it isn't
12. they are, they aren't

[해석 및 해설]
01. 네 바지는 새것이니?
02. 이것은 네 고양이니?
*this로 물어보면 it으로 대답한다.
03. 상자 안에 그녀의 장갑이 있니?
04. 네 여동생(누나)은 키가 크니?
05. 네 아버지는 힘이 세시니?
06. 저들이 네 아들들이니?
*those로 물어보면 they로 대답한다.
07. 네 어머니는 의사이시니?
08. 그들은 극장 안에 있니?
09. 이 동전들은 네 것이니?
*복수명사로 물어보면 they로 대답한다.
10. 이것들은 네 것이니?
*these로 물어보면 they로 대답한다.
11. 저것은 그의 자동차이니?
12. 저 가수들은 한국사람이니?

❷ 01. Is 02. Is 03. Are 04. Are 05. Is
06. Are 07. Are 08. Are 09. O 10. Is
11. Are 12. O 13. Is 14. Is 15. O

[해석]
01. 그녀는 네 어머니이시니?
02. 네 어머니는 가정주부이시니?
03. 이 만화책들은 너의 것이니?
04. 그녀와 Jack은 카페에 있니?
05. 나무 아래에 고양이가 있니?
06. 그 영화들은 재미있니?
07. 식탁 위에 그릇이 세 개 있니?
08. 저 말들은 빠르니?
09. 그 아기는 지금 배가 고프니?
10. 이것은 네 카메라이니?
11. 이 연필들은 네 것이니?
12. 너의 사촌들은 간호사니?
13. 그의 우산은 새것이니?
14. 너의 아들은 버스에 있니?
15. 이 장난감들은 비싸니?

Third Step

01. he is 02. we are 03. they are
04. they are 05. they are 06. it is

07. O　08. O　09. we are
10. it is　11. they are　12. he isn't
13. O　14. they are　15. they aren't

[해석 및 해설]
01. 그가 당신 아버지인가요?
02. 여러분은 배우들인가요?
03. 이 동전들은 너의 것이니?
04. Sam과 Jane은 동물원에 있니?
05. 너의 여동생들은 학생이니?
06. 그 책은 재미있니?
*질문의 주어가 사물 단수이면 it으로 대답한다.
07. 그들은 너의 삼촌들이니?
08. 저 말은 빠르니?
*that horse는 단수이므로 대명사 it으로 한다.
09. 당신과 당신 여동생은 공원에 있나요?
10. 이것은 네 카메라이니?
*this, that으로 물어보는 의문문은 it으로 대답한다.
11. 이 연필들은 네 것이니?
12. 네 남동생은 키가 크니?
13. 그의 자동차는 새것이니?
14. 너의 사촌들은 식당에 있니?
15. 이 휴대전화기들은 비싸니?

Writing Step

01. Are those pants　02. Is that building
03. Are these sheep　04. Are Jack and Tom
05. Are there many trees　06. Is there a bridge
07. Are there children　08. Are they
09. Is that girl　10. Are those
11. Are there chairs　12. Is he

Final step

❶ 01. 부정문: They are not in the classroom.
의문문: Are they in the classroom?
02. 부정문: Jim and Cathy are not famous artists.
의문문: Are Jim and Cathy famous artists?
03. 부정문: There is not a park in the city.
의문문: Is there a park in the city?
04. 부정문: These cookies are not mine.
의문문: Are these cookies mine?
05. 부정문: He is not a baseball player.
의문문: Is he a baseball player?
06. 부정문: Those are not my sheep.
의문문: Are those my sheep?
07. 부정문: There are not many pictures in his room.
의문문: Are there many pictures in his room?
08. 부정문: The actors are not popular in Asia.
의문문: Are the actors popular in Asia?

[해석]
01. 그들은 교실 안에 있다.
02. Jim과 Cathy는 유명한 예술가이다.
03. 도시에는 공원이 있다.
04. 이 쿠키들은 내 것이다.
05. 그는 야구선수이다.
06. 저것들은 내 양들이다.
07. 그의 방에는 많은 사진들이 있다.
08. 그 배우들은 아시아에서 인기가 있다.

❷ 01. Is　02. Are　03. Are　04. Is　05. Are
06. Is　07. Are　08. Is　09. Is　10. Are
11. Is　12. Are　13. Is　14. Are　15. Is

[해석 및 해설]
01. 너의 오빠(남동생)는 키가 크니?
02. 영화관에는 아이들이 있니?
03. Jane과 Jessica는 너의 방에 있니? *주어가 Jane and Jessica 둘이므로 are가 온다.
03. 무대 위에는 가수가 있니?
05. 네 부모님은 의사이시니?
06. 그 강은 깨끗하니?
07. 이 사람들이 너의 가족이니?
08. 벽에 지도가 있니?
09. 네 여동생(누나)은 부지런하니?
10. 저 편지들이 네 것이니?
11. 네 아버지는 잘생기셨니?
12. 너(희)는 졸리니?
13. 네 삼촌은 택시운전사이시니?
14. 저 여자들은 예술가니?
15. 이 배낭은 신제품이니?

Exercise

01. ④　02. ②　03. ⑤　04. ②　05. ②　06. ④

07. ② 08. ① 09. ② 10. ① 11. ④ 12. ⑤
13. These are not[aren't] his children.
14. Are these puppies yours?
15. they are 16. there isn't / there is not

[해석 및 해설]

01. ① 나의 부모님은 의사가 아니시다.
② 이들은 나의 여동생이 아니다.
③ Jack은 가수가 아니다.
④ 그녀와 나는 학생이 아니다.
⑤ Jane은 정직하지 않다.

02. ① 이것은 너의 배낭이니?
② 이것들은 돼지니?
③ 그것은 너의 돈이니?
④ 그 강들은 깨끗하니?
⑤ 저 개들은 빠르니?

03. ① 이것은 나의 개가 아니다.
② 그들은 나의 부모님이 아니다.
③ 그녀는 음악가가 아니다.
④ 그 가게는 크지 않다.
⑤ 그 컴퓨터들은 비싸지 않다.

04. 무대 위에 가수가 있다.
*be동사 다음에 not이 들어간다.

05. 이것들은 네 교과서니?
*your textbooks은 복수이므로 they로 대답한다.

06. 그 상점에 여자가 있니?
*there로 물으면 there로 대답한다.

07. 너희들은 가수이니?

08. ① Susan과 Sara는 쌍둥이니?
② 너의 엄마는 가정주부이시니?
③ 그 스웨터는 따뜻하니?
④ 너는 목마르니?
⑤ Sam은 학생이니?
*대답을 they로 했으므로 질문에 주어가 복수여야 한다.

09. ① Tom과 Sam은 잘생기지 않았다.
② 책상 위에 컴퓨터가 있니?
③ 꽃병에 꽃이 있니?
④ 이 책들은 네 것이니?
⑤ 식탁 위에 컵이 있니?

10. ① 우리는 한국사람이 아니다.
② 저 영화는 재미있지 않다.
③ 이 우유는 내 여동생 것이 아니다.
④ 이 야채들은 신선하지 않다.
⑤ 그것들은 내 공책이 아니다.

13. 이들은 그의 아이들이다.

14. 이 강아지들은 네 것이다.
*be동사를 주어 앞으로 이동한다.

15. 이 사람들은 미국사람인가요?
*질문의 주어가 복수이므로 대답을 they로 한다.

16. 테이블 위에 꽃병이 있니?

Review Test (Chapter 1-8)

❶ 01. cute 02. famous 03. hungry 04. great
05. fast 06. so, tired 07. dirty

[해석 및 해설]

01. 내 딸은 귀엽다. *형용사 – 주어의 상태를 설명
02. 그녀는 유명한 가수이다.
*형용사 – 명사 singer를 꾸며줌
03. James는 배가 고프다. *형용사
04. 그는 위대한 음악가이다.
*형용사 – 명사 musician을 꾸며줌
05. Jane과 Sam은 빨리 달린다. *부사
06. James는 매우 피곤하다. *so – 부사 tired – 형용사
07. 내 방은 더럽다. *형용사

❷ 01. is 02. like 03. has 04. feels
05. is 06. are 07. sell

[해석 및 해설]

01. 내 고양이는 검은 색이다.
02. 나는 그의 노래들을 좋아한다.
03. 그 새는 아름다운 날개를 가지고 있다.
04. 그는 기분이 좋다.
05. 내 여동생(누나)은 뚱뚱하다.
06. 그와 나는 택시운전사이다.
07. 그들은 포도를 판다.

❸ 01. glasses 02. buses 03. deer
04. a cup of 05. glasses 06. cheese
07. men 08. money 09. tomatoes
10. cookies 11. women 12. bottles

❹ 01. X 02. X 03. X 04. X 05. X
06. a 07. an 08. X 09. X 10. X
11. a 12. X 13. a 14. an 15. X

[해석 및 해설]

01. 내가 좋아하는 과목은 과학이다.

*학교 과목 이름 앞에 관사를 붙이지 않는다.
02. 그는 토요일에 야구를 한다.
*요일 앞에 관사를 붙이지 않는다.
03. Jane은 프랑스에서 왔다.
*나라, 도시 이름 앞에 관사를 붙이지 않는다.
04. 그녀는 시카고에 산다.
05. 그녀는 긴 머리카락을 가지고 있다. *너무 많아 셀 수 없는 명사 앞에 관사를 붙이지 않는다.
06. 그들은 일주일에 두 번 기타를 연주한다.
*a week는 일주일마다
07. 그것은 재미있는 책이다.
08. Smith는 개를 다섯 마리 가지고 있다.
*복수명사 앞에는 부정관사를 붙이지 않는다.
09. 그들은 점심식사로 샐러드를 먹는다.
*식사 이름 앞에 관사를 붙이지 않는다.
10. 그들은 일본어로 말을 한다.
11. Sara는 의사이다.
12. 내 삼촌은 아들이 둘 있다.
13. 부엌에는 테이블이 하나 있다.
14. Jack은 삼촌이 있다.
15. 나는 사과를 아주 많이 좋아한다.

⑤ 01. He 02. He 03. They
04. It 05. We 06. They

[해석 및 해설]
01. Sam은 체육관에 있다. 그는 농구선수이다.
02. Mike는 학생이다. 그는 수학을 배운다.
03. Jim과 John은 정직하다. 그들은 내 친구들이다.
04. 서울은 큰 도시이다. 그것은 한국에 있다.
05. 그녀와 나는 친절하다. 우리는 의사이다.
*I가 포함되었으면 we로 바꾼다.
06. 그와 그녀는 학생이다. 그들은 지하철로 학교에 간다.

⑥ 01. She 02. my 03. His
04. mine 05. yours 06. them

⑦ 01. They are 02. Three cups are
03. not mine 04. not a housewife
05. There are three cats
06. Those vegetables are
07. are yours 08. Tom and Jack are
09. are my brother's 10. are not my parents
11. are Tom's 12. their math teacher

⑧ 01. 부정문: Alice is not(isn't) in the park.
의문문: Is Alice in the park?
02. 부정문: These songs are not(aren't) popular in Korea.
의문문: Are these songs popular in Korea?
03. 부정문: There is not(isn't) a hotel in the town.
의문문: Is there a hotel in the town?
04. 부정문: Those boats are not(aren't) his uncle's.
의문문: Are those boats his uncle's?
05. 부정문: They are not(aren't) her classmates.
의문문: Are they her classmates?
06. 부정문: There are not(aren't) five fish in the pond.
의문문: Are there five fish in the pond?
07. 부정문: Ellen is not(isn't) his math teacher.
의문문: Is Ellen his math teacher?
08. 부정문: Susan is not(isn't) a smart girl.
의문문: Is Susan a smart girl?

[해석]
01. Alice는 공원에 있다.
02. 이 노래들은 한국에서 인기가 있다.
03. 그 마을에는 호텔이 있다.
04. 저 배들은 그의 삼촌 것이다.
05. 그들은 그녀의 같은 반 친구들이다.
06. 연못에 다섯 마리의 물고기가 있다.
07. Ellen은 그의 수학선생님이다.
08. Susan은 영리한 소녀이다.

Achievement Test (Chapter 5-8)

01. ① 02. ④ 03. ③ 04. ⑤ 05. ① 06. ④
07. ⑤ 08. ④ 09. ③ 10. ④ 11. ⑤ 12. ④
13. ① 14. ① 15. ② 16. ① 17. ② 18. ④
19. ② 20. ① 21. ③ 22. ③ 23. ②
24. (1) car, yellow (2) apples, delicious
25. (1) Are you a student?
(2) He is not(isn't) smart. 또는 He's not smart.
26. (1) You're (2) isn't (3) aren't
27. (1) 이 공책은 나의 것이 아니다.
(2) 저 치즈는 나의 어머니 것이다.
28. they are 29. there aren't 30. are

[해석 및 해설]

01. *Mr. Kim → he, your car → it, Mrs. Carter → her

02. *my students → they, her notebooks → them, your friend → he/she, you and Jack → you

03. *③ This는 '이것', 나머지는 '이분 / 이 사람'

04. *셀 수 없는 명사 milk 앞에는 these/those가 올 수 없다.

05. 이것은 _____ 자동차이다.
*목적격 us 대신 소유격 our가 와야 한다.

06. 저 케이크는 _____이다.
*목적격 her 대신 소유대명사 hers가 와야 한다.

07. 이것은 _____ 사무실이다.
*소유대명사 theirs 대신 소유격 their가 와야 한다.

08. *④에는 are 나머지는 is가 온다.

09. ① 그의 아버지는 선생님이시니?
② 네 여동생(누나)은 간호사니?
③ 너의 삼촌은 농부이시니?
④ 이 야채들은 신선하니?
⑤ 그 바지는 따뜻하니?
*③ Are your uncle a farmer? → Is your uncle a farmer?

10. ① 이것은 그의 방이다.
② 나는 이 책을 좋아한다.
③ 그는 이 바지들을 원한다.
④ 이것들은 그녀의 차들이다.
⑤ 저 집들은 비싸다.
*These is her cars. → These are her cars.

11. ① 그의 이름은 James이다.
② 내 차는 파란색이다.
③ 이 펜들은 네 것이다.
④ 그것들은 내 안경이다.
⑤ 그는 정원에 있다.
*His is in the garden. → He is in the garden.

12. ① 이것은 내 가방이다.
② 저것은 그의 책이다.
③ 저것은 그들의 말이다.
④ 이것은 Mike의 집이다.
⑤ 저것은 그녀의 유니폼이다.
*This house is Mike. → This house is Mike's.

13. ① Mike는 내 친구이다.
② 네 안경은 내 방에 없다. is → are
③ David와 Cathy는 내 친구가 아니다. not are → are not
④ 그것들은 매우 비싸다. their → they
⑤ 이 컵들은 그녀의 것이다. cup → cups
*glasses는 항상 복수형을 취한다.

14. _____ 가수들이다. / Tom은 _____ 좋아한다.
*be동사 are의 주어는 복수여야 한다.
*likes 다음에는 목적격이 온다.

15. Jane은 내 여동생이다. 나는 _____ 사랑한다.
Kate는 내 친구이다. _____ 친절하다.
*my sister → her, Kate → She

16. _____ 내 아버지의 모자이다. / _____ 학생들은 한국에서 왔다.
*be동사 is의 주어는 단수여야 한다. *students가 복수이므로 these나 those가 앞에 와야 한다.

17. 너와 네 남동생(오빠)은 매우 친절하다.
*You and your brother → you, you가 포함되었다.

18. _____ 영어선생님이니?
*be동사 are가 왔으므로 you나 복수형이 와야 한다.

19. _____ 좋은 축구선수들이다.
*주어가 복수이면 be동사 다음에 오는 명사도 복수형이어야 한다.

20. ① 나는 소년이 아니다. *am not은 축약할 수 없다.
② 그는 행복하지 않다.
③ 우리는 배고프지 않다.
④ 너(희)는 한국인이 아니다.
⑤ 그들은 졸리지 않다.

21. ① Jenny는 학생이다.
② 그는 내 사촌이다.
③ Jack은 교실에 있다.
④ John은 매우 영리한 소년이다.
⑤ 그녀는 유명한 가수이다.
*③은 be동사 다음에 장소가 와서 '~에 있다'라는 의미이고 나머지는 '~이다'라는 의미이다.

22. 내 시계는 소파 위에 있다.
*be동사 다음에 not이 온다.

23. *honest의 h는 발음되지 않는다. honest man 앞에는 an이 온다.

24. 이것은 비싼 차이다.
*여기서 that과 these는 지시형용사이다.
(1) 저것은 노란 차이다.
(2) 이것들은 맛있는 사과이다.

26. (1) 너는 아름답다. (2) 그녀는 의사가 아니다.
(3) 우리는 좋은 학생들이 아니다.
28. 이 책들은 네 것이니?
*질문의 주어가 복수이므로 대답을 they로 한다.
29. 방 안에 두 사람이 있니?
30. 테이블 아래에 고양이 두 마리가 있다.
*복수명사 two cats가 왔으므로 are가 와야 한다.

실전모의고사 ❶

01. ① 02. ④ 03. ④ 04. ⑤ 05. ② 06. ③
07. ④ 08. ③ 09. ⑤ 10. ⑤ 11. ④ 12. ④
13. ② 14. ① 15. ③ 16. ① 17. ② 18. ①
19. ② 20. ③ 21. piece
22. play piano → play the piano
23. is → are
24. 그 새는 아름다운 날개를 가지고 있다.
25. Is your mother a housekeeper?

[해석 및 해설]
01. *piano의 복수형은 pianos이다.
02. *3인칭 복수는 대명사 they로 받는다.
03. *honest의 h는 묵음이다.
04. *⑤는 are이고, 나머지는 is가 필요하다.
05. *soup은 셀 수 없는 명사이다.
06. 나의 엄마는 ______ 원한다.
*관사가 있으므로 셀 수 있는 명사가 와야 한다.
07. 이 샌드위치는 __________이다.
*목적격 her 대신 소유대명사 hers가 와야 한다.
08. 이것은 ________ 건물이다.
*소유대명사 hers 대신 소유격 her이 와야 한다.
09. *⑤는 지시형용사, 나머지는 지시대명사이다.
10. *⑤ those 다음에는 복수명사가 나와야 한다.
11. *My brothers는 복수명사 주어이므로 복수동사가 와야 한다.
12. *scissor는 항상 복수형이 되어야 한다.
13. *②는 「모음+y」로 뒤에 s만 붙인다. 나머지는 「자음+y」로 y를 I로 바꾸고 es를 붙인다.
14. *cookie는 셀 수 있는 명사이다.
15. *our bags는 소유대명사 ours로 대치해야 한다.
16. 내 동생과 나는 매우 부지런하다.
*my brother and I → we, I가 포함되었다.
17. ______ 유명한 댄서이다. / 그녀는 ______ 필요하다.
*각각 주격과 목적격이 필요하다.
18. 나는 재미있는 책을 읽는다. / 내 여동생은 10시에 피아노를 친다. *모음으로 발음하는 경우 an을 붙이고, 악기 앞에는 the를 쓴다.
19. ______ 인기 있는 가수니?
*의문문은 be동사가 문두에 와야 한다. 복수명사 singers가 있으므로 복수주어가 와야 한다.
20. 엄마는 새 목걸이를 샀다. 그 목걸이는 금이다.
*앞에서 언급된 명사를 반복할 경우 정관사 the가 온다.
22. *악기명 앞에는 정관사 the가 필요하다.
23. *There로 시작하는 문장은 be동사 다음에 나오는 명사가 단수이면 단수동사, 복수이면 복수동사를 넣는다.

실전모의고사 ❷

01. ④ 02. ③ 03. ① 04. ④ 05. ④ 06. ⑤
07. ③ 08. ①, ⑤ 09. ③ 10. ② 11. ① 12. ③
13. ① 14. ② 15. ② 16. ⑤ 17. ① 18. ⑤
19. ③ 20. ③
21. Those → That 21. deers → deer
23. 그녀는 내 선생님이 아니다.
24. Judy와 Jessy는 네 친구들이니?
25. There are seven days in a week.

[해석 및 해설]
01. *foot의 복수형은 feet이다.
02. *③은 복수명사 bags가 있으므로 these/those가 필요하다. 그 외는 this/that이 필요하다.
03. *①은 the가 필요하고, 나머지는 관사가 필요 없다.
05. *shoe는 셀 수 있는 명사로 항상 복수형으로 쓴다.
06. 이것은 ______이다.
*명사가 모음으로 발음되는 경우에는 an을 붙인다.
07. ______ 유명한 예술가이다.
*단수동사 is가 왔으므로 단수주어가 와야 한다.
08. *나머지는 지시형용사이다.
09. *③ cake는 단위명사 slice나 piece를 이용해서 센다.
10. *식사명 앞에는 관사가 붙지 않는다.
12. *지시대명사 주어와 동사, 명사를 모두 복수형으로

해야 한다.

14. *두 개가 하나의 짝을 이루는 경우는 복수형으로 쓴다.

15. *복수명사 six rooms가 있으므로 복수동사가 와야 한다. *These are는 '~이 있다'라는 의미이다.

16. 내 아버지는 차가 한 대 있다. 그 차는 매우 오래됐다. *앞에서 언급한 명사를 대신할 때는 정관사 the가 필요하다.

18. John의 여동생은 공원에 있다. / 그 여자는 간호사이다.

21. *단수명사 building이 왔으므로 단수지시형용사가 와야 한다.

22. *deer는 단수와 복수 형태가 같다.

실전모의고사 ❸

01. ⑤ **02.** ④ **03.** ④ **04.** ③ **05.** ⑤ **06.** ①
07. ③ **08.** ② **09.** ③ **10.** ① **11.** ⑤ **12.** ⑤
13. ③ **14.** ③ **15.** ④ **16.** ① **17.** ⑤ **18.** ②
19. ② **20.** ⑤ **21.** (1) The (2) an
22. a history → history **23.** he is
24. This bicycle is not mine.
25. Are you nurses?

[해석 및 해설]

01. *school 앞에는 a가 온다.

02. *potato 이외에 나머지는 셀 수 없는 명사이다.

03. *four 다음에는 복수 명사가 온다.

04. *a cup of coffee가 와야 자연스럽다.

05. *There is 다음에는 단수명사나 셀 수 없는 명사가 온다.

06. *this는 it으로 대답한다.

09. *There is 다음에는 단수명사나 셀 수 없는 명사가 온다.

10. *악기명이나 유일무이한 것에 앞에는 정관사 the가 온다. English 앞에는 관사가 올 수 없다.

11. *a my uncle → my uncle

12. *Are your mother busy?는 Is your mother busy?로 바꿔야 한다.

14. *bag 앞에는 소유격이 와야 하므로 theirs를 their로 바꿔야 한다.

15. *two piece of pizza를 two pieces of pizza로 바꿔야 한다.

16. *Those 다음에는 복수명사가 온다.

17. *주격과 목적격의 인칭대명사가 와야 한다.

20. *⑤는 사물 나머지는 사람을 나타낸다.

22. *a history는 history로 바꾼다.

23. *your father는 he로 받는다.

24. *you의 복수형은 you이다.

Grammar
mentor
joy

Grammar
mentor
joy

Grammar
mentor
joy

Longman

Grammar mentor joy 1

Vocabulary 미니북

단어의 역할

01	bag 가방 [bæg]	That is a very expensive bag. 저것은 매우 비싼 가방이다.
02	beautiful 아름다운 [bjú:təfəl]	Ann is a beautiful girl. Ann은 아름다운 소녀이다.
03	begin 시작하다 [bigín]	The movie begins at 11 o'clock 그 영화는 11시에 시작한다.
04	cat 고양이 [kæt]	Lynda has a cat. Lynda는 고양이 한 마리가 있다.
05	cute 귀여운 [kju:t]	My pet is very cute. 내 애완동물은 매우 귀엽다.
06	doctor 의사 [dáktər]	She is a doctor. 그녀는 의사이다.
07	easily 쉽게 [í:zəli]	She solves the math problem easily. 그녀는 그 수학문제를 쉽게 푼다.
08	English 영어 [íŋgliʃ]	We study English. 우리는 영어를 공부한다.
09	every day 매일	They go to school every day. 그들은 매일 학교에 간다.
10	fast 빠르게 [fæst]	Jackson walks fast. Jackson은 빠르게 걷는다.
11	happy 행복한 [hǽpi]	Jim and I are very happy. Jim과 나는 매우 행복하다.
12	honest 정직한 [ánist]	The police officer is honest. 그 경찰관은 정직하다.
13	hungry 배고픈 [hʌ́ŋgri]	We are cold and hungry. 우리는 춥고 배가 고프다.
14	Korean 한국어 [kərí(:)ən]	We speak Korean. 우리는 한국어를 한다.
15	Korean food 한국음식	They like Korean food. 그들은 한국음식을 좋아한다.

16	live 살다 [liv]	I live in Seoul. 나는 서울에 산다.
17	moon 달 [mu:n]	Is it the sun or the moon? 그것은 해니 달이니?
18	school 학교, 수업 [sku:l]	I play soccer after school. 나는 방과 후에 축구를 한다.
19	singer 가수 [siŋər]	They are famous singers. 그들은 유명한 가수이다.
20	slowly 천천히 [slóuli]	Sam walks slowly. Sam은 느리게 걷는다.
21	small 작은 [smɔ:l]	She has a small dog. 그녀는 작은 개가 있다.
22	smart 영리한 [smɑ:rt]	My sister is very smart. 나의 여동생은 매우 영리하다.
23	snail 달팽이 [sneil]	A snail moves slowly. 달팽이가 느리게 움직인다.
24	strong 강한 [strɔ(:)ŋ]	My brother is small but he is strong. 내 남동생은 작지만 그는 강하다.
25	tall 키가 큰 [tɔ:l]	Jackson is tall. Jackson은 키가 크다.
26	teacher 선생님 [tí:tʃər]	My English teacher wears glasses. 나의 영어 선생님은 안경을 쓰신다.
27	walk 걷다 [wɔ:k]	We walk for an hour in the afternoon. 우리는 오후에 1시간씩 걷는다.
28	watch 보다 [wɑtʃ]	I watch TV at night. 나는 밤에 TV를 본다.
29	water 물 [wɔ́:tər]	She wants cold water. 그녀는 차가운 물을 원한다.
30	with ~와 함께 [wið]	James plays tennis with me. James은 나와 함께 테니스를 친다.

Check Up

1 다음 우리말 뜻에 해당하는 영어 단어를 쓰세요.

01 가방

02 가수

03 걷다

04 고양이

05 귀여운

06 달

07 달팽이

08 물

09 보다

10 빠르게

11 살다

12 쉽게

13 시작하다

14 아름다운

15 영리한

② 다음 영어 단어에 해당하는 우리말 뜻을 쓰세요.

01 English
02 doctor
03 small
04 honest
05 slowly
06 tall
07 Korean
08 Korean food
09 happy
10 school

③ 다음 빈칸에 우리말과 일치하도록 알맞은 단어를 쓰세요.

01 My brother is small but he is ________.
내 남동생은 작지만 그는 강하다.

02 My English ________ wears glasses.
나의 영어 선생님은 안경을 쓰신다.

03 They go to school ________ ________.
그들은 매일 학교에 간다.

04 We are cold and ________.
우리는 춥고 배가 고프다.

05 James plays tennis ________ me.
James은 나와 함께 테니스를 친다.

Chapter 2 명사 I

01	ax 도끼 [æks]	My uncle uses an ax. 나의 삼촌은 도끼를 사용한다.
02	basket 바구니 [bǽskit]	There are three apples in the basket. 바구니에 사과 세 개가 있다.
03	bench 벤치 [bentʃ]	A girl is sitting on a bench. 한 소녀가 벤치에 앉아 있다.
04	bike 자전거 [baik]	My bike is on the corner. 내 자전거는 코너에 있다.
05	blue jeans 청바지	My sister likes to wear blue jeans. 내 누나는 청바지 입는 것을 좋아한다.
06	bottle 병 [bɑ́tl]	There are five bottles on the table. 식탁 위에 병이 다섯 개 있다.
07	box 상자 [bɑks]	His toy is in the box. 그의 장난감은 상자 안에 있다.
08	brush 붓, 솔 [brʌʃ]	I am painting with a brush. 나는 붓으로 색칠을 하고 있다.
09	butterfly 나비 [bʌ́tərflài]	The flower looks like a butterfly. 그 꽃은 나비처럼 보인다.
10	camera 카메라 [kǽmərə]	I use two cameras. 나는 두 개의 카메라를 사용한다.
11	carrot 당근 [kǽrət]	A carrot is good for your health. 당근은 건강에 좋다.
12	church 교회 [tʃəːrtʃ]	He goes to church. 그는 교회에 다닌다.
13	city 도시 [síti]	Seoul is the biggest city in Korea. 서울은 한국에서 가장 큰 도시이다.
14	cucumber 오이 [kjúːkʌmbər]	She grows cucumbers. 그녀는 오이를 키운다.
15	dish 접시 [diʃ]	Jane and I wash the dishes. Jane과 나는 설거지를 한다.

16	field 들판 [fi:ld]	Three sheep are on the field. 들판에 세 마리 양이 있다.
17	friend 친구 [frend]	My friends live in Busan. 나의 친구들은 부산에 산다.
18	handsome 잘생긴 [hǽnsəm]	The actor is very handsome. 그 배우는 매우 잘생겼다.
19	knife 칼 [naif]	I cut carrots with a knife. 나는 칼로 당근을 자른다.
20	lady 숙녀 [léidi]	Three ladies are in the room. 세 명의 숙녀가 방에 있다.
21	lamp 등 [læmp]	There is a lamp in the living room. 거실에 등이 하나 있다.
22	library 도서관 [láibrèri]	There are many books in the library. 도서관에 많은 책들이 있다.
23	office 사무실 [ɔ́(:)fis]	There are four desks in the office. 사무실에 책상이 네 개 있다.
24	ox 황소 [ɑks]	2009 was the Year of the Ox. 2009년은 소의 해였다
25	park 공원 [pɑ:rk]	The town has five parks. 그 마을은 공원이 다섯 개 있다.
26	playground 놀이터 [pléigràund]	My friends usually play in the playground. 내 친구들은 대체로 운동장에서 논다.
27	pond 연못 [pɑnd]	Three geese are in the pond. 연못에 거위 세 마리가 있다.
28	scissors 가위 [sízərz]	They need new scissors. 그들은 새 가위가 필요하다.
29	seat 좌석 [si:t]	The car has four seats. 그 자동차에는 좌석이 네 개 있다.
30	thief 도둑 [θi:f]	He is not a thief. 그는 도둑이 아니다.

1 다음 우리말 뜻에 해당하는 영어 단어를 쓰세요.

01 가위

02 공원

03 교회

04 나비

05 당근

06 도끼

07 도둑

08 도시

09 들판

10 등

11 바구니

12 벤치

13 병

14 상자

15 숙녀

2 다음 영어 단어에 해당하는 우리말 뜻을 쓰세요.

01 pond

02 cucumber

03 bike

04 handsome

05 dish

06 blue jeans

07 friend

08 camera

09 knife

10 ox

3 다음 빈칸에 우리말과 일치하도록 알맞은 단어를 쓰세요.

01 My friends usually play in the ________.
내 친구들은 대체로 운동장에서 논다.

02 There are many books in the ________.
도서관에 많은 책들이 있다.

03 I am painting with a ________.
나는 붓으로 색칠을 하고 있다.

04 There are four desks in the ________.
사무실에 책상이 네 개 있다.

05 The car has four ________.
그 자동차에는 좌석이 네 개 있다.

명사 II

01	advice 충고 [ədváis]	I want my teacher's advice. 나는 선생님의 조언을 원한다.
02	birthday 생일 [bə́ːrθdèi]	My birthday is in January. 내 생일은 1월이다.
03	cereal 곡물 [síriəl]	He eats a bowl of cereal for breakfast. 그는 아침식사로 시리얼 한 접시를 먹는다.
04	cook 요리사, 주방장 [kuk]	My father is a cook. 나의 아버지는 요리사다.
05	country 나라 [kʌ́ntri]	Canada is a beautiful country. 캐나다는 아름다운 나라이다.
06	doll 인형 [dɑl]	I play with my dolls. 나는 내 인형을 가지고 논다.
07	farm 농장 [fɑːrm]	Three deer are in the farm. 농장에 사슴이 세 마리 있다.
08	flour 밀가루 [fláuər]	We need some flour. 우리는 밀가루가 좀 필요하다.
09	friendship 우정 [fréndʃip]	This book is about a wonderful friendship. 이 책은 멋진 우정에 대한 것이다.
10	furniture 가구 [fə́ːrnitʃər]	They need new furniture. 그들은 새 가구가 필요하다.
11	gas 가스, 휘발유 [gæs]	I am looking for a gas station. 나는 주유소를 찾고 있다.
12	glass 유리, 유리잔 [glæs]	I drink a glass of milk in the morning. 나는 아침에 우유 한 잔을 마신다.
13	gym 체육관 [dʒim]	We play basketball in the gym. 우리는 체육관에서 농구를 한다.
14	learn 배우다 [ləːrn]	My sister learns Japanese. 나의 여동생은 일본어를 배운다.
15	loaf 덩어리 [louf]	There is a loaf of bread on the table. 식탁 위에 빵 한 조각이 있다.

16	meat 고기 [miːt]	They don't eat **meat**. 그들은 고기를 먹지 않는다.
17	mountain 산 [máuntən]	The **mountain** is beautiful in November. 그 산은 11월에 아름답다.
18	oil 기름, 오일 [ɔil]	Put some olive **oil** in the food. 음식에 올리브 오일을 좀 넣어라.
19	peace 평화 [piːs]	We want world **peace**. 우리는 세계평화를 원한다.
20	prepare 준비하다 [pripέər]	He **prepares** ten bottles of wine for the party. 그는 파티를 위해 와인 열 병을 준비한다.
21	put 넣다, 놓다 [put]	She **puts** some cheese on pizza. 그녀는 피자에 약간의 치즈를 올린다.
22	river 강 [rivər]	There is a bridge over the **river**. 강 위에 다리가 있다.
23	salt 소금 [sɔːlt]	Pass me the **salt**, please. 소금 좀 전달해 주세요.
24	scientist 과학자 [sáiəntist]	I want to be a **scientist**. 나는 과학자가 되고 싶다.
25	shelf 선반 [ʃelf]	She is putting a book on the **shelf**. 그녀는 선반 위에 책을 올려놓고 있다.
26	slice 조각 [slais]	My brother has four **slices** of cheese. 나의 남동생은 치즈 네 조각이 있다.
27	soccer 축구 [sάkər]	My favorite sport is **soccer**. 내가 좋아하는 스포츠는 축구이다.
28	soup 수프 [suːp]	He eats a bowl of **soup** in the morning. 그는 아침에 수프 한 접시를 먹는다.
29	train 기차 [trein]	The **train** goes to the west. 그 기차는 서쪽으로 간다.
30	wine 와인 [wain]	A bottle of **wine** is in the refrigerator. 포도주 한 병이 냉장고에 있다.

1 다음 우리말 뜻에 해당하는 영어 단어를 쓰세요.

01 가스, 휘발유

02 강

03 고기

04 곡물

05 과학자

06 기름, 오일

07 기차

08 넣다, 놓다

09 농장

10 덩어리

11 밀가루

12 배우다

13 산

14 생일

15 선반

2 다음 영어 단어에 해당하는 우리말 뜻을 쓰세요.

01 salt

02 soup

03 wine

04 cook

05 glass

06 doll

07 slice

08 prepare

09 gym

10 soccer

3 다음 빈칸에 우리말과 일치하도록 알맞은 단어를 쓰세요.

01 I want my teacher's ___________.
나는 선생님의 조언을 원한다.

02 We want world ___________.
우리는 세계평화를 원한다.

03 They need new ___________.
그들은 새 가구가 필요하다.

04 This book is about a wonderful ___________.
이 책은 멋진 우정에 대한 것이다.

05 Canada is a beautiful ___________.
캐나다는 아름다운 나라이다.

관사

01	air 공기 [εər]	We need fresh air. 우리는 신선한 공기가 필요하다.
02	artist 예술가 [ɑ́ːrtist]	Martin is a great artist. Martin은 위대한 예술가이다.
03	bowl 사발, 그릇 [boul]	I have a bowl of soup for breakfast. 나는 아침식사로 수프 한 접시를 먹는다.
04	class 수업 [klæs]	I have a math class in the morning. 나는 아침에 수학 수업이 있다.
05	corner 모퉁이 [kɔ́ːrnər]	The boy's bike is on the corner. 그 소년의 자전거는 코너에 있다.
06	daughter 딸 [dɔ́ːtər]	He has two sons and a daughter. 그는 아들이 둘에 딸이 하나 있다.
07	earth 지구 [əːrθ]	We live on the earth. 우리는 지구에 산다.
08	expensive 비싼 [ikspénsiv]	My father has an expensive watch. 나의 아버지는 비싼 시계가 있다.
09	fly 날다 [flai]	Airplanes fly in the sky. 비행기는 하늘에서 난다.
10	history 역사 [hístəri]	My favorite subject is history. 내가 좋아하는 과목은 역사이다.
11	hospital 병원 [hɑ́spitəl]	The hospital is on your left. 병원은 네 왼쪽에 있다.
12	igloo 이글루 [íɡluː]	Look at the igloo in the picture. 사진 속의 이글루를 봐라.
13	interesting 재미있는 [íntərəstiŋ]	I know an interesting story. 나는 재미있는 이야기를 안다.
14	island 섬 [áilənd]	Jejudo is an island. 제주도는 섬이다.
15	meal 식사 [miːl]	We eat three meals a day. 우리는 하루에 세끼를 먹는다.

16	museum 박물관, 미술관 [mju:zí:əm]	We will visit a science museum. 우리는 과학 박물관을 방문할 것이다.
17	pass 건네다 [pæs]	Please, pass me the fork. 그 포크 좀 건네 주세요.
18	picture 사진, 그림 [píktʃər]	Let's take a picture here. 여기서 사진을 찍자.
19	practice 연습하다 [prǽktis]	Mina practices the piano once a week. Mina는 일주일에 한 번 피아노 연습을 한다.
20	rise 떠오르다 [raiz]	The sun rises in the east. 태양은 동쪽에서 떠오른다.
21	set (해 등) 지다 [set]	The sun sets in the west. 태양을 서쪽에서 진다.
22	shine 빛나다 [ʃain]	The moon shines at night. 달은 밤에 빛난다.
23	stage 무대 [steidʒ]	He plays the violin on the stage. 그는 무대 위에서 바이올린을 연주한다.
24	station 역 [stéiʃən]	Jane and I are at Seoul station. Jane과 나는 서울역에 있다.
25	store 상점 [stɔ:r]	She will open a new store in Korea. 그녀는 한국에 새로운 가게를 열 것이다.
26	subject 과목 [sʌ́bdʒikt]	We learn many subjects in school. 우리는 학교에서 많은 과목을 배운다.
27	subway 지하철 [sʌ́bwèi]	We go to school by subway. 우리는 지하철로 학교에 간다.
28	tonight 오늘밤 [tənáit]	The moon is very bright tonight. 오늘밤 달이 무척 밝다.
29	town 도시 [taun]	The town has three libraries. 그 마을에는 도서관이 세 개 있다.
30	visit 방문하다 [vízit]	I visit my grandparents in the afternoon. 나는 오후에 조부모님댁을 방문한다.

Check Up

1 다음 우리말 뜻에 해당하는 영어 단어를 쓰세요.

01 (해 등) 지다

02 공기

03 과목

04 날다

05 도시

06 딸

07 떠오르다

08 모퉁이

09 무대

10 박물관, 미술관

11 방문하다

12 병원

13 비싼

14 빛나다

15 사발, 그릇

2 다음 영어 단어에 해당하는 우리말 뜻을 쓰세요.

01 picture

02 store

03 island

04 meal

05 station

06 history

07 practice

08 artist

09 tonight

10 igloo

3 다음 빈칸에 우리말과 일치하도록 알맞은 단어를 쓰세요.

01 I know an __________ story.
나는 재미있는 이야기를 안다.

02 We live on the __________.
우리는 지구에 산다.

03 We go to school by __________.
우리는 지하철로 학교에 간다.

04 Please, __________ me the fork.
그 포크 좀 건네주세요.

05 I have a math __________ in the morning.
나는 아침에 수학 수업이 있다.

대명사 I

01	apartment 아파트 [əpɑ́:rtmənt]	He lives in this apartment. 그는 이 아파트에서 산다.
02	basketball 농구 [bǽskitbɔ̀:l]	My brother plays basketball every Sunday. 나의 남동생은 매주 일요일 농구를 한다.
03	brave 용감한 [breiv]	He is a brave soldier. 그는 용감한 군인이다.
04	building 건물 [bíldiŋ]	My office is in this building. 나의 사무실은 이 건물 안에 있다.
05	busy 바쁜 [bízi]	Tom and I are very busy now. Tom과 나는 지금 매우 바쁘다.
06	classmate 반 친구 [klǽsmèit]	I go to a park with my classmates. 나는 반 친구들과 함께 공원에 간다.
07	classroom 교실 [klǽsrù(:)m]	I am sitting in a classroom. 나는 교실에 앉아 있다.
08	clean 깨끗한, 청소하다 [kli:n]	We need clean water. 우리는 깨끗한 물이 필요하다.
09	delicious 맛있는 [dilíʃəs]	The store sells delicious cookies. 그 가게는 맛있는 쿠키를 판다.
10	diligent 부지런한 [dílidʒənt]	Tom is very honest and diligent. Tom은 매우 정직하고 부지런하다.
11	dirty 더러운 [də́:rti]	Wash your dirty hands. 더러운 손을 씻어라.
12	eagle 독수리 [í:gl]	Eagles fly high in the sky. 독수리는 하늘 높이 난다.
13	fruit 과일 [fru:t]	Jackson and I want fresh fruits. Jackson과 나는 신선한 과일을 원한다.
14	garden 정원 [gɑ́:rdən]	The house has a big garden. 그 집은 큰 정원이 있다.
15	grass 풀 [græs]	Those animals eat grass. 저 동물들은 풀을 먹는다.

16	kitten 새끼 고양이 [kítən]	She gives a kitten warm milk. 그녀는 새끼 고양이에게 따뜻한 우유를 준다.
17	lawyer 변호사 [lɔ́:jər]	The smart student wants to become a lawyer. 그 영리한 학생은 변호사가 되기를 원한다.
18	leaf 나뭇잎 [li:f]	Look at the leaves on the roof. 지붕 위의 나뭇잎들을 봐라.
19	movie 영화 [mú:vi]	He is a movie director. 그는 영화감독이다.
20	musician 음악가 [mju(:)zíʃən]	She is a great musician. 그녀는 훌륭한 음악가이다.
21	newspaper 신문 [njú:zpèipər]	She is reading a newspaper. 그녀는 신문을 읽고 있다.
22	parking lot 주차장	The building has a parking lot. 그 건물은 주차장이 있다.
23	policeman 경찰관 [pəlí:smən]	The policeman is very kind. 그 경찰관은 매우 친절하다.
24	popular 인기 있는 [pάpjulər]	This song is very popular in China. 이 노래는 중국에서 매우 인기가 있다.
25	post office 우체국	The post office is on the right. 우체국은 오른쪽에 있다.
26	sweet 달콤한 [swi:t]	These fruits are very sweet. 이 과일들은 매우 달콤하다.
27	twin 쌍둥이 [twin]	She lives with her twin sons. 그녀는 쌍둥이 아들과 살고 있다.
28	vegetable 야채 [védʒitəbl]	She uses vegetable oil. 그녀는 식물성 기름을 사용한다.
29	wheel 바퀴 [hwi:l]	A bicycle has two wheels. 자전거는 두 개의 바퀴가 있다.
30	zebra 얼룩말 [zí:brə]	A zebra has stripes. 얼룩말은 줄무늬가 있다.

Check Up

1 다음 우리말 뜻에 해당하는 영어 단어를 쓰세요.

01 건물

02 경찰관

03 과일

04 교실

05 깨끗한, 청소하다

06 나뭇잎

07 달콤한

08 더러운

09 독수리

10 맛있는

11 바쁜

12 바퀴

13 변호사

14 부지런한

15 새끼 고양이

❷ 다음 영어 단어에 해당하는 우리말 뜻을 쓰세요.

01 newspaper

02 twin

03 apartment

04 vegetable

05 zebra

06 movie

07 post office

08 garden

09 parking lot

10 grass

❸ 다음 빈칸에 우리말과 일치하도록 알맞은 단어를 쓰세요.

01 My brother plays __________ every Sunday.
나의 남동생은 매주 일요일 농구를 한다.

02 This song is very __________ in China.
이 노래는 중국에서 매우 인기가 있다.

03 He is a ______________ soldier.
그는 용감한 군인이다.

04 I go to a park with my __________.
나는 반 친구들과 함께 공원에 갔다.

05 She is a great __________.
그녀는 훌륭한 음악가이다.

대명사 II

01	always 항상 [ɔ́:lweiz]	She always helps people. 그녀는 항상 사람들을 도와준다.
02	baseball 야구 [béisbɔ̀:l]	I play baseball with my father. 나는 아빠와 함께 야구를 한다.
03	believe 믿다 [bilí:v]	Don't believe him. 그를 믿지 마라.
04	color 색, 색상 [kʌ́lər]	Red is my favorite color. 붉은색은 내가 좋아하는 색이다.
05	culture 문화 [kʌ́ltʃər]	Geyoungju is the city of culture. 경주는 문화의 도시다.
06	drink 마시다 [driŋk]	Jim drinks coffee in the morning. Jim은 아침에 커피를 마신다.
07	every morning 매일 아침에	She takes a walk every morning. 그녀는 매일 아침 산책한다.
08	famous 유명한 [féiməs]	She is a very famous singer. 그녀는 매우 유명한 가수이다.
09	favorite 좋아하는 [féivərit]	His favorite sport is baseball. 그가 좋아하는 스포츠는 야구이다.
10	food 음식 [fu:d]	Many people like Chinese food. 많은 사람들이 중국음식을 좋아한다.
11	girls' school 여학교	The girls' school is very big. 그 여학교는 매우 크다.
12	glasses 안경 [glæsesis]	The man is wearing glasses. 남자가 안경을 끼고 있다.
13	go shopping 쇼핑하러 가다	My mom goes shopping with me. 엄마는 나와 함께 쇼핑을 하신다.
14	hair style 머리 스타일	I like your hair style. 나는 너의 머리스타일이 좋다.
15	hobby 취미 [hábi]	Tom's hobby is taking pictures. Tom의 취미는 사진을 찍는 것이다.

16	hometown 고향 [hóumtáun]	My **hometown** is Seoul. 나의 고향은 서울이다.
17	horse 말 [hɔːrs]	A man is feeding the **horse**. 한 남자가 말에게 먹이를 주고 있다.
18	invite 초대하다 [inváit]	I will **invite** my friends to the party. 나는 파티에 친구들을 초대할 것이다.
19	market 시장 [mάːrkit]	They buy fruits at the **market**. 그들은 시장에서 과일을 산다.
20	math 수학 [mæθ]	Mr. Smith is my **math** teacher. Smith 씨가 나의 수학선생님이시다.
21	roof 지붕 [ru(ː)f]	He is fixing the **roof**. 그는 지붕을 고치고 있다.
22	science 과학 [sáiəns]	My sister learns **science** at school. 내 누나(여동생)는 학교에서 과학을 배운다.
23	sometimes 때때로 [sʌ́mtàimz]	He **sometimes** wears a yellow shirt. 그는 가끔 노란색 셔츠를 입는다.
24	song 노래 [sɔ(ː)ŋ]	Her **songs** are very popular in Korea. 그녀의 노래들은 한국에서 매우 인기 있다.
25	stamp 우표 [stæmp]	We can buy **stamps** at post offices. 우리는 우체국에서 우표들을 살 수 있다.
26	sweater 스웨터 [swétər]	My friend and I bought the same **sweater**. 내 친구와 나는 같은 스웨터를 구매했다.
27	take a picture 사진 찍다	Will you **take a picture** for me? 사진 좀 찍어 주시겠어요?
28	take care of ~을 돌보다	She will **take care of** her brother. 그녀는 남동생을 돌볼 것이다.
29	wash 씻다 [wɑʃ]	Mike **washes** his car on Sunday. Mike는 그의 자동차를 일요일에 닦는다.
30	work with ~와 일을 하다	She **works with** her friend in the office. 그녀는 사무실에서 친구와 함께 일한다.

Check Up

1 다음 우리말 뜻에 해당하는 영어 단어를 쓰세요.

01 ~을 돌보다

02 ~와 일을 하다

03 고향

04 과학

05 노래

06 마시다

07 말

08 매일 아침에

09 머리 스타일

10 사진 찍다

11 색, 색상

12 쇼핑하러 가다

13 수학

14 스웨터

15 시장

② 다음 영어 단어에 해당하는 우리말 뜻을 쓰세요.

01 wash

02 glasses

03 baseball

04 girls' school

05 stamp

06 famous

07 food

08 favorite

09 hobby

10 always

③ 다음 빈칸에 우리말과 일치하도록 알맞은 단어를 쓰세요.

01 Geyoungju is the city of __________.
경주는 문화의 도시다.

02 Don't __________ him.
그를 믿지 마라.

03 He is fixing the __________.
그는 지붕을 고치고 있다.

04 I will __________ my friends to the party.
나는 파티에 나의 친구들을 초대할 것이다.

05 He __________ wears a yellow shirt.
그는 가끔 노란색 셔츠를 입는다.

be동사 I

01	airplane 비행기 [έərplèin]	Sam is flying his toy airplanes. Sam은 장난감 비행기를 날리고 있다.
02	airport 공항 [έərpɔ̀:rt]	There are many airplanes at the airport. 공항에 많은 비행기들이 있다.
03	angry 화난 [ǽŋgri]	My parents are very angry. 부모님이 매우 화가 나셨다.
04	boots 부츠 [bu:ts]	These boots are my sister's. 이 부츠는 내 여동생 것이다.
05	boring 지루한 [bɔ́:riŋ]	This movie is very boring. 이 영화는 매우 지루하다.
06	calculator 계산기 [kǽlkjulèitər]	There is a calculator on the desk. 책상 위에 계산기가 한 대 있다.
07	cave 동굴 [keiv]	Some animals are in the cave. 몇몇 동물이 동굴 안에 있다.
08	cousin 사촌 [kʌ́zən]	Mike is my cousin. Mike는 내 사촌이다.
09	dentist 치과의사 [déntist]	That man is a dentist. 저 남자는 치과의사이다.
10	drawer 서랍 [drɔ:r]	Three pants are in the drawer. 바지 세 개가 서랍 안에 있다.
11	faithful 충성스러운 [féiθfəl]	A dog is a faithful animal. 개는 충성스러운 동물이다.
12	funny 웃기는 [fʌ́ni]	The movie is very funny. 그 영화는 무척 웃기다.
13	goose 거위 [gu:s]	My uncle has nine geese. 나의 삼촌은 거위가 아홉 마리 있다.
14	hall 복도 [hɔ:l]	There is a man in the hall. 복도에 한 남자가 있다.
15	healthy 건강한 [hélθi]	She and her husband are healthy. 그녀와 그녀의 남편은 건강하다.

16	hill 언덕 [hil]	Three sheep are on the hill. 세 마리 양이 언덕 위에 있다.
17	housewife 가정주부 [háuswàif]	My mother is a full-time housewife. 어머니는 전업주부이시다.
18	magazine 잡지 [mæ̀gəzíːn]	There are two magazines on the table. 탁자 위에 잡지 두 권이 있다.
19	movie theater 영화관	Jack and Sara are in the movie theater. Jack과 Sara는 극장 안에 있다.
20	pet 애완동물 [pet]	They are my pets. 그것들은 나의 애완동물들이다.
21	pilot 비행기 조종사 [páilət]	My cousin is a pilot. 내 사촌은 조종사이다.
22	radish 무 [rǽdiʃ]	These vegetables are radishes. 이 야채들은 무다.
23	refrigerator 냉장고 [rifrídʒərèitər]	There are five bottles of water in the refrigerator. 냉장고에 다섯 병의 물이 있다.
24	season 계절 [síːzən]	There are four seasons in a year. 1년에 4계절이 있다.
25	soldier 군인 [sóuldʒər]	These men are soldiers. 이 남자들은 군인이다.
26	street 거리 [striːt]	There are not many cars on the street. 거리에 자동차들이 많지 않다.
27	sunflower 해바라기 [sʌ́nflàuər]	Sunflowers grow tall very quickly. 해바라기는 매우 빨리 자란다.
28	tray 쟁반 [trei]	There are five doughnuts on the tray. 쟁반에 도넛이 다섯 개 있다.
29	watermelon 수박 [wɔ́ːtərmèlən]	My favorite fruit is a watermelon. 내가 좋아하는 과일은 수박이다.
30	under ~아래에 [ʌ́ndər]	There are two cats under the chair. 책상 밑에 고양이 두 마리가 있다.

1 다음 우리말 뜻에 해당하는 영어 단어를 쓰세요.

01 거위

02 건강한

03 계산기

04 공항

05 군인

06 냉장고

07 동굴

08 무

09 ~아래에

10 복도

11 부츠

12 비행기

13 비행기 조종사

14 사촌

15 서랍

② 다음 영어 단어에 해당하는 우리말 뜻을 쓰세요.

01 watermelon

02 pet

03 hill

04 movie theater

05 funny

06 magazine

07 faithful

08 dentist

09 sunflower

10 angry

③ 다음 빈칸에 우리말과 일치하도록 알맞은 단어를 쓰세요.

01 My mother is a full-time ___________.
어머니는 전업주부이시다.

02 There are not many cars on the ___________.
거리에 자동차들이 많지 않다.

03 There are five doughnuts on the ___________.
쟁반에 도넛이 다섯 개 있다.

04 This movie is very ___________.
이 영화는 매우 지루하다.

05 There are four ___________ in a year.
1년에 4계절이 있다.

be동사 II

01	backpack 배낭 [bǽkpæ̀k]	Is this **backpack** expensive? 이 배낭은 비싸니?
02	late 지각한, 늦은 [leit]	I am **late** for school. 나는 학교에 지각한다.
03	bicycle 자전거 [báisikl]	My **bicycles** are not new. 나의 자전거들은 새것이 아니다.
04	bookstore 서점 [búkstɔ̀:r]	We buy books at a **bookstore**. 우리는 서점에서 책을 산다.
05	boxer 권투선수 [bɑ́ksər]	Is he a famous **boxer**? 그는 유명한 권투선수이니?
06	bridge 다리 [bridʒ]	We are building a **bridge**. 우리는 다리를 건설하고 있다.
07	businessman 사업가 [bíznismæ̀n]	Jack is not a **businessman**. Jack은 사업가가 아니다.
08	cafeteria 카페 [kæ̀fətíəriə]	She and Jack are in the **cafeteria** now. 그녀와 Jack은 지금 카페에 있다.
09	calendar 달력 [kǽləndər]	That is not a **calendar**. 저것은 달력이 아니다.
10	cell phone 휴대전화	Is this **cell phone** yours? 이 휴대전화기는 네 것이니?
11	cheap 저렴한 [tʃi:p]	These chairs are very **cheap**. 이 의자들은 매우 싸다.
12	coin 동전 [kɔin]	These are my **coins**. 이것들은 나의 동전들이다.
13	department store 백화점	She is working at the **department store**. 그녀는 백화점에서 일하고 있다.
14	dictionary 사전 [díkʃənèri]	There is not my **dictionary** on the sofa. 소파 위에 있는 사전은 내 사전이 아니다.
15	family 가족 [fǽməli]	Are these people your **family**? 이 사람들이 너의 가족이니?

16	fire fighter 소방관	The fire fighter is my father. 그 소방관은 내 아버지이시다.
17	forest 숲 [fɔ́(:)rist]	There are many trees in the forest. 숲에는 나무들이 많다.
18	glove 장갑 [glʌv]	I will buy new gloves. 나는 새 장갑을 살 것이다.
19	housekeeper 가정주부 [háuskìːpər]	You mother is not a housekeeper. 네 어머니는 가정주부가 아니시다.
20	pencil 연필 [pénsəl]	I am writing a letter with a pencil. 나는 연필로 편지를 쓰고 있다.
21	player 선수 [pléiər]	He is a popular baseball player. 그는 인기 있는 야구선수이다.
22	pool 수영장 [puːl]	Many children are swimming in the pool. 많은 아이들이 수영장에서 수영하고 있다.
23	restaurant 식당 [réstərənt]	My cousins are eating dinner in the restaurant. 내 사촌들이 식당에서 저녁식사를 하고 있다.
24	shopping mall 쇼핑몰	The shopping mall is very big. 그 쇼핑몰은 무척 크다.
25	taxi driver 택시운전사	Is your uncle a taxi driver? 네 삼촌은 택시운전사이시니?
26	theater 영화관 [θí(:)ətər]	There are many students in the theater. 영화관에 많은 학생들이 있다.
27	uniform 유니폼, 제복 [júːnəfɔ̀ːrm]	The students wear school uniforms. 그 학생들은 교복을 입는다.
28	wall 벽 [wɔːl]	There is a picture on the wall. 벽에 사진이 있다.
29	writer 작가 [ráitər]	My mom is a famous writer. 내 엄마는 유명한 작가이시다.
30	zoo 동물원 [zuː]	We can see many animals at the zoo. 우리는 동물원에서 많은 동물을 볼 수 있다.

1 다음 우리말 뜻에 해당하는 영어 단어를 쓰세요.

01 가정주부

02 가족

03 권투선수

04 지각한, 늦은

05 다리

06 달력

07 동물원

08 동전

09 배낭

10 백화점

11 사업가

12 서점

13 선수

14 소방관

15 쇼핑몰

❷ 다음 영어 단어에 해당하는 우리말 뜻을 쓰세요.

01 pool

02 forest

03 restaurant

04 pencil

05 bicycle

06 glove

07 cheap

08 cafeteria

09 taxi driver

10 cell phone

❸ 다음 빈칸에 우리말과 일치하도록 알맞은 단어를 쓰세요.

01 My mom is a famous ___________.
내 엄마는 유명한 작가이시다.

02 There is a picture on the ___________.
벽에 사진이 있다.

03 There are many students in the ___________.
영화관에 많은 학생들이 있다.

04 The students wear school ___________.
그 학생들은 교복을 입는다.

05 There is not my ___________ on the sofa.
소파 위에 있는 사전은 내 사전이 아니다.

단어장 해답

Chapter 01. 단어의 역할

❶ 01. bag 02. singer 03. walk 04. cat 05. cute
06. moon 07. snail 08. water 09. watch 10. fast
11. live 12. easily 13. begin 14. beautiful 15. smart

❷ 01. 영어 02. 의사 03. 작은 04. 정직한 05. 천천히
06. 키가 큰 07. 한국어 08. 한국음식 09. 행복한 10. 학교, 수업

❸ 01. strong 02. teacher 03. every day 04. hungry 05. with

Chapter 02. 명사 I

❶ 01. scissors 02. park 03. church 04. butterfly 05. carrot
06. ax 07. thief 08. city 09. field 10. lamp
11. basket 12. bench 13. bottle 14. box 15. lady

❷ 01. 연못 02. 오이 03. 자전거 04. 잘생긴 05. 접시
06. 청바지 07. 친구 08. 카메라 09. 칼 10. 황소

❸ 01. playground 02. library 03. brush 04. office 05. seats

Chapter 03. 명사 II

❶ 01. gas 02. river 03. meat 04. cereal 05. scientist
06. oil 07. train 08. put 09. farm 10. loaf
11. flour 12. learn 13. mountain 14. birthday 15. shelf

❷ 01. 소금 02. 수프 03. 와인 04. 요리사, 주방장 05. 유리, 유리잔
06. 인형 07. 조각 08. 준비하다 09. 체육관 10. 축구

❸ 01. advice 02. peace 03. furniture 04. friendship 05. country

Chapter 04. 관사

❶
01. set	02. air	03. subject	04. fly	05. town
06. daughter	07. rise	08. corner	09. stage	10. museum
11. visit	12. hospital	13. expensive	14. shine	15. bowl

❷
01. 사진, 그림	02. 상점	03. 섬	04. 식사	05. 역
06. 역사	07. 연습하다	08. 예술가	09. 오늘밤	10. 이글루

❸
01. interesting	02. earth	03. subway	04. pass	05. class

Chapter 05. 대명사 I

❶
01. building	02. policeman	03. fruit	04. classroom	05. clean
06. leaf	07. sweet	08. dirty	09. eagle	10. delicious
11. busy	12. wheel	13. lawyer	14. diligent	15. kitten

❷
01. 신문	02. 쌍둥이	03. 아파트	04. 야채	05. 얼룩말
06. 영화	07. 우체국	08. 정원	09. 주차장	10. 풀

❸
01. basketball	02. popular	03. brave	04. classmates	05. musician

Chapter 06. 대명사 II

❶
01. take care of	02. work with	03. hometown	04. science
05. song	06. drink	07. horse	08. every morning
09. hair style	10. take a picture	11. color	12. go shopping
13. math	14. sweater	15. market	

❷
01. 씻다	02. 안경	03. 야구	04. 여학교	05. 우표
06. 유명한	07. 음식	08. 좋아하는	09. 취미	10. 항상

❸
01. culture	02. believe	03. roof	04. invite	05. sometimes

Chapter 07. be동사 I

❶ 01. goose 02. healthy 03. calculator 04. airport 05. soldier
06. refrigerator 07. cave 08. radish 09. under 10. hall
11. boots 12. airplane 13. pilot 14. cousin 15. drawer

❷ 01. 수박 02. 애완동물 03. 언덕 04. 영화관 05. 웃기는
06. 잡지 07. 충성스러운 08. 치과의사 09. 해바라기 10. 화난

❸ 01. housewife 02. street 03. tray 04. boring 05. seasons

Chapter 08. be동사 II

❶ 01. housekeeper 02. family 03. boxer 04. late
05. bridge 06. calendar 07. zoo 08. coin
09. backpack 10. department store 11. businessman
12. bookstore 13. player 14. fire fighter 15. shopping mall

❷ 01. 수영장 02. 숲 03. 식당 04. 연필 05. 자전거
06. 장갑 07. 저렴한 08. 카페 09. 택시운전사 10. 휴대전화

❸ 01. writer 02. wall 03. theater 04. uniforms 05. dictionary